ワーケーションの教科書

創造性と生産性を
最大化する
「新しい働き方」

Airbnb Japan 株式会社 執行役員

長田英知

KADOKAWA

はじめに

人は厳しい制約下にあるとき、最もイノベーティブになるという考え方があります。2020年、世界中で猛威をふるった新型コロナウイルス（COVID－19）は、私たちの日常生活に突然、大きな制約をもたらしました。しかしこの制約は、古い慣習や生活様式から私たちを一気に解放し、新しい考え方を生み出すきっかけにもなっています。

ワークスタイルは、新型コロナ禍という制約によって、イノベーションが生み出された最も象徴的な分野と言えるかもしれません。会社の同僚や顧客との物理的な接触が突然、不可能になったことで、あらゆるミーティングがバーチャルに行われ、社内外の事務処理もオンラインで完結するなど、少し遠い先に実現するとされていた仕事のデジタルトランスフォーメーション（DX）が、急速に進展しました。

私もまた、新型コロナウイルスによるワークスタイルの変化に大きな影響を受けた1人です。私が勤務している会社では2020年2月に在宅勤務に移行し、1年以上経った現在に至るまで、一度もオフィスに足を踏み入れていません。一方、大学の客員教授や企業のアドバイザーなどの複業（マルチワーク）は、物理的な移動がなくなったことで、格段にやりやすくなりました。

新型コロナ禍が終息した後、私たちの仕事のあり方はさらに変化していくでしょう。1つの会社のみに籍を置いて働くことが一般的だった新型コロナ禍前の社会では、仕事と余暇は二律背反するものであり、明確に区別されていました。

しかしマルチワークやリモートワークが当たり前になるポスト・コロナの社会では、仕事と余暇は日常生活の中で混在し、「どこでも、いつでも働く＝Work from Anywhere at Anytime（ワーク・フロム・エニーウェア・アット・エニータイム）」を前提とした社会システムへの転換が急速に進むことになるでしょう。

「どこでも、いつでも働く」ことが可能になったとき、私たちの仕事や生活における移動の位置付けは、どのように変化するのでしょうか。まず思いつくのが、オンライン化が進むと、通勤や顧客先への移動の必要がなくなるということです。2020年4月7日に発令された第1回目の緊急事態宣言を契機に在宅勤務を経験した人は、満員電車で通勤することにどれだけ多くの時間と体力を費やし、いかに大変だったかを改めて認識したと思います。

しかしリモートワークのメリットを享受する一方、顧客訪問や出張・通勤が、オン・オフの切り替えをする上で、一定の役割を果たしていたことを再認識された方も多かったのではないでしょうか。また家に閉じこもって人と交流していないと、気分転換がされず、新しいアイデアなどが生まれづらいと感じた人もいると思います。

独立研究者の山口周（しゅう）氏や早稲田大学大学院教授の入山章栄（いりやまあきえ）氏をはじめとする多くの方々が、「個人の発想や創造性は、その人の移動距離に比例する」と述べています。創造性と移動距離に相関性があるのは、移動距離を広げて新しい場所に自分の身を置くことが、新しい視点をもたらしてくれるからだと考えられます。

実業家のジェームス・W・ヤングは、『アイデアのつくり方』（CCCメディアハウス）の中で、「アイデアとは既存の要素の新しい組み合わせ以外の何ものでもない」と述べています。新しい組み合わせを見つけ出すためには、日常生活のルーティン、すなわちコンフォートゾーンから抜け出して、新しい刺激を受ける必要があります。移動は、物理的にも精神的にも、このコンフォートゾーンから抜け出すための役割を果たしてくれるのです。

今後の社会を見据えたとき、生活に必要なものはオンラインで注文でき、人々はスマートフォンやPCを通してつながり、物理的な移動を行わなくても、何の支障もないように見えるかもしれません。しかし自宅や限られた場所にいるだけでは、本当に豊かな体験を得て、これからの仕事において必要となってくる創造力（クリエイティビティ）を得ることはできないでしょう。

新型コロナ禍を契機に、私たちは「移動しなくてよい」社会へと移行しています。しかしこの快適な生活に溺れることなく、私たちが仕事において新しい価値を生み出し続けるためには、「移動しなくてはならない」という矛盾が生じているのです。

本書のテーマであるワーケーションは、どこでも、いつでも働くことが求められる新しいワークスタイルにおいて、クリエイティビティを発揮するための重要なカギとなります。またワーケーションは同時に、企業にとって人財戦略の要となり、地域にとっては経済活性化の糸口となるでしょう。

本書では海外企業・日本企業の様々な事例をもとに、仕事と余暇について分析を行い、私たちのＱＯＬ（Quality of Life：生活の質）をどのように向上させ、この変化に富んだ不確実な時代をどう乗り切っていくべきなのか考察したいと思います。

ワーケーションの教科書

創造性と生産性を最大化する「新しい働き方」

【目次】

第2章 私たちが働く理由とワークスタイルの変遷

第3章 ワーケーションがクリエイティブな組織を創る

第4章 ワーケーションが地方を再ブランディングする

第5章 ワーケーションを効果的に実施するためのヒント

第1章

なぜ今、ワーケーションなのか

ワーケーションとは何か？

「ワーケーション」とは、仕事（Work）と休暇（Vacation）を組み合わせた造語で、「リモートワーク等を活用し、普段の職場や居住地から離れ、リゾート地などで普段の仕事を継続しながら、その地域ならではの活動も行うこと」と一般的には定義されています。

ワーケーションという言葉を、新型コロナ禍を契機に、初めて耳にしたという人も多いかもしれません。しかし普段の職場や居住地から離れて仕事を行う考え方は昔から存在し、その形態に応じて様々な名称で呼ばれていました。図表1は従来から存在するワーケーションに類似する概念をまとめたものです。これらの概念とワーケーションの違いについて、まずは考えてみましょう。

最初にワーケーションに類似する概念として挙げたいのがブレジャーです。ブレジャーはリゾート地での仕事と休暇を組み合わせたワークスタイルを指し、ワーケーシ

図表1：ワーケーションとワーケーションに類似する概念

取組	説明
ワーケーション	「ワーク」と「バケーション」を組み合わせた造語。リモートワーク等を活用し、普段の職場や居住地から離れ、リゾート地などで普段の仕事を継続しながら、その地域ならではの活動も行うこと
ブレジャー	「ビジネス」と「レジャー」を組み合わせた造語。出張に数日〜数週間の休暇をプラスして、「仕事のついでに旅も満喫」するもの。2018年頃に登場
サバティカル	組織に所属しながら職務を離れて取ることのできる長期休暇。もともとは大学や研究機関で与えられ、研究活動等に利用されていたが、現在は一般企業でも取り入れられ始めている
ワーキングホリデー	2国間の協定に基づいて、青年が異なった文化の中で休暇を楽しみながら、その間の滞在資金を補うために一定の就労をすることを認める査証および出入国管理上の特別な制度
リモートワーク（テレワーク）	会社から離れた場所で働くこと。リモートワークとテレワークは同義で使われているため、本書ではリモートワークで呼称を統一
在宅ワーク	リモートワークの場を自宅に限定する働き方

出所：みずほリサーチ＆テクノロジーズ株式会社レポートを著者により加筆・修正

ョンと酷似した概念となっています。ブレジャーは仕事に、ワーケーションは休暇に重点を置く働き方とされますが、2つの間に大きな差はないため、本書では同義語として扱いたいと思います。

次にサバティカルについて考えてみましょう。もともとサバティカルは大学や研究機関で取り入れられていたもので、1カ月～1年程度の長期間、大学で教えなくてよい代わりに、他の大学で教えたり、研究活動を行ってよいという制度です。これが一部の企業に広がり、一定年数を継続して勤務すると、まとまった日数の休暇がもらえる制度として採用されています。

では、ワーケーションとサバティカルの違いはどこにあるのでしょうか。サバティカルでは大学や研究機関、あるいは企業から給料をもらっていますが、給料をもらっている組織の「ために」仕事をするわけではありません。大学の研究者は、日々の仕事に煩わされずに自分の研究テーマを追究するための時間として活用し、企業の社員は本業から離れてリフレッシュする時間として、有給休暇の延長線上にある制度として捉えられています。一方、ワーケーションは休暇を取りつつ、自分が所属している会社のために仕事を行い、その成果に対して給料をもらっている点で、サバティカルと異なっていると言えるでしょう。

またワーキングホリデーも休暇と労働を組み合わせたスタイルですが、2国間協定に基づき、18~30歳という年齢制限を設けることで、休暇目的の渡航中の就労を認めるという特殊な制度となっています。

最後にリモートワーク(テレワーク)と在宅ワークとワーケーションの違いについて考えてみましょう。まずリモートワーク(リモートワークとテレワークは同義のため、本書ではリモートワークに呼称を統一します)は、自分が所属する会社のオフィスの「外」で働くスタイルを指します。リモートワークで想定されている仕事場所には、コワーキングオフィスのほか、プライベートの場である自宅が含まれます。外資系企業ではリモートワークのことを、Work from Home の略称としてWFH(在宅ワーク)と呼びますが、本書では在宅ワークを自宅のみで働くスタイル、リモートワークを自宅に限らずオフィスの外で働くスタイルとして定義したいと思います。

ただ、オフィスの外で働く場合でも、顧客オフィスやコワーキングオフィスで仕事をしたり、地方や海外に仕事で出張する際、宿泊しているホテルの部屋で行う仕事はオフィス勤務の延長として捉えるべきでしょう。

顧客訪問や出張は企業によって命ぜられた公務です。仮に出張先がパリで、夜に自腹で美味しいフレンチを食べたとしても、プライベートの旅行ともワーケーションとも異なるわけです。

一方、ワーケーションはオフィスの外にあるバケーション先で働くリモートワークの一形態ですが、プライベートな場でパブリックな仕事を行うという観点で、これまでの仕事のスタイルと一線を画するものであると言えます。

以上の分析から、働き方の概念を「仕事の内容」と「仕事の場所」の2つの軸で整理することで、既存の働き方とワーケーションの違いが明らかになります（図表2）。

横軸の「仕事の内容」とは、「経歴書の職業欄に最初に書かれるであろう、自分のアイデンティティを構成する仕事」に従事するのか（この形態を「本業」と定義します）、「本業がありながら、別途請け負う仕事」に従事するのかで分けることができます。

図表2：仕事の内容と場所に基づく概念整理

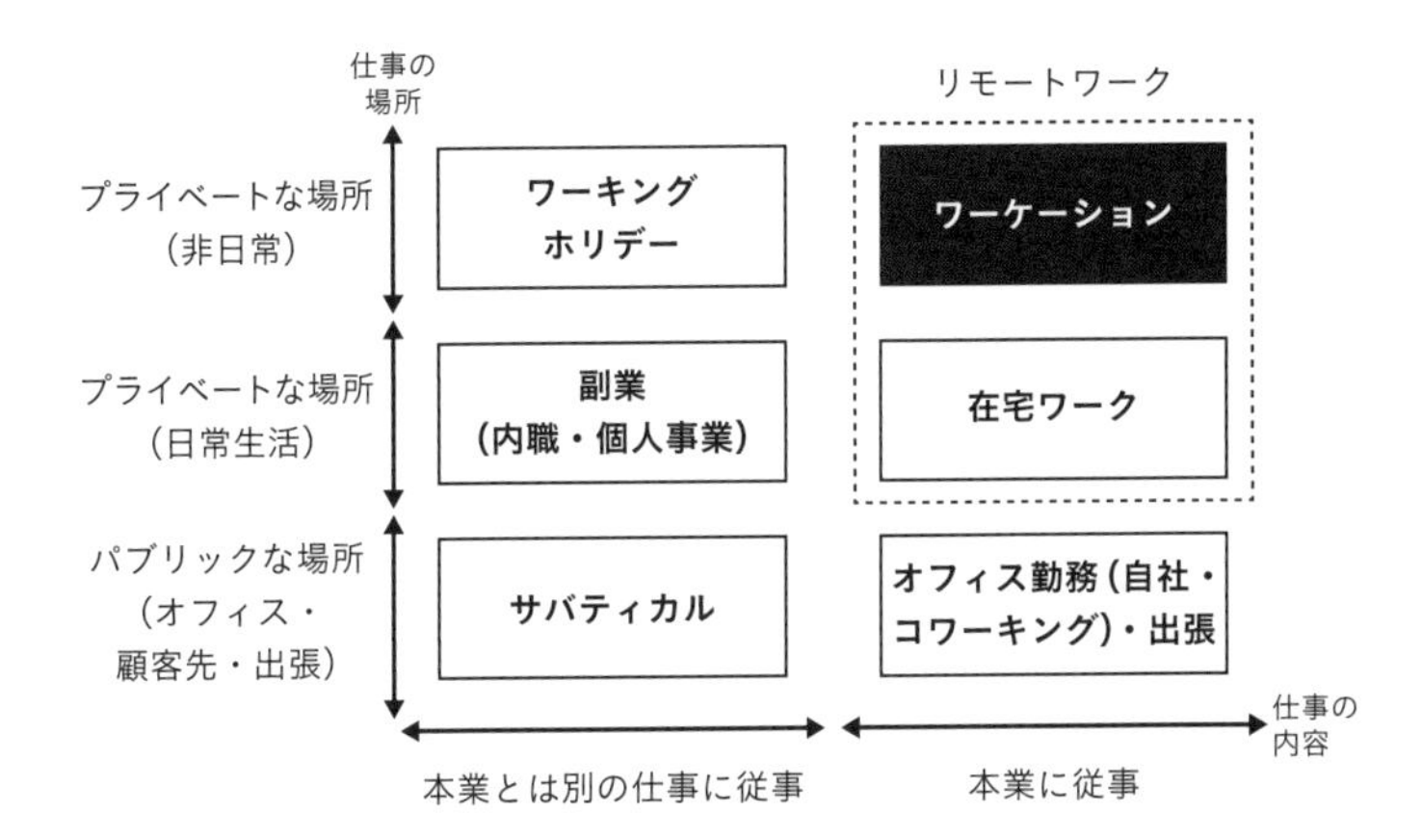

縦軸の「仕事の場所」は、「会社のオフィスや会社から指定されたコワーキングオフィスなどのパブリックな場所」で仕事を行うのか、それとも「プライベートな場所」で行うのかで分けるものです。さらにプライベートな場所は、「自宅や自宅近くの喫茶店など日常生活を送っている場所」なのか、それとも「自宅から物理的・心理的に離れた非日常の場所」なのかで分けられます。

これらの軸で、先ほど述べた働き方を位置付けてみましょう。まず本業が別にありつつ、個人の立場で別途業務を請け負う場合について考えてみます。パブリックな場所で行うものとしてはサバティカル、日常生活を送るプライベートな場所で行うものとしては副業（内職や個人事業）、非日常の場所で行うものとしては、現地で生活費を稼ぐ仕事に従事するワーキングホリデーが挙げられます。

次に本業を就労場所で場合分けしてみましょう。パブリックな場所で本業の仕事を行うのが、これまで最も一般的であったオフィスや出張先での勤務です。これに対して、在宅ワークは自宅を中心とした日常生活の場所で行う本業、ワーケーションは自宅を離れた非日常の場所で行う本業として定義できます。そして在宅ワーク、ワーケーションはいずれもオフィスの外で行うワークスタイルとして、リモートワークという広義の概念でまとめることができます。

ワーケーションの3つの特性

様々な働き方を比較していくと、ワーケーションを定義づける場所的・時間的・心理的という3つの特性が浮かび上がってきます。これらについて1つずつ考察してみましょう。

①場所的特性：非日常の場にあること

ワーケーションの1つ目の特性は、非日常の場で行われるということです。オフィスや自宅の外で仕事をしても、場所がオフィスの近くや日常生活圏内にある喫茶店などのサードプレイスであったとしたら、ワーケーションとは言えないでしょう。顧客訪問の合間に喫茶店で行う仕事は、日々の業務や生活の延長線上にあり、バケーション＝休暇の要素はありません。

ワーケーションは、仕事のパブリックな場とも、日常のプライベートな場とも異なる、一般的には休暇を過ごすために訪れる非日常の場を舞台とします。休養やストレス解消を目的に訪れている場所で、疲労やストレスの原因であるはずの仕事を行うことが、ワーケーションの新しさです。

一方、従来の観光地・リゾート地は当然ながら、日々の仕事を忘れて休息し、楽しむ場としての機能を優先して設計されています。そのような場所でのワーケーションを可能にするためには、レジャーの場に仕事を行う上で必要なインフラをあらかじめ組み込むことで、休暇を取っている人々の中に交じって仕事をしても、疎外感を抱くことなく、居心地のよさを感じられることが大切になってきます。例えばテーマパークに行ったとき、コワーキングスペースが整備されていれば、子供たちを遊ばせておきつつ、必要に応じて数時間だけ仕事を行うことも可能になります。

なおワーケーションを目的として滞在する場合、１つの地域に滞在する時間は必然的に長くなります。従来の団体旅行のように、様々な場所に短期間滞在して、次のところに移動するスタイルをとると、仕事の時間を確保することが難しくなるため、１カ所にとどまって、あたかもそこに暮らしているかのように、一定期間を過ごすスタイルが主流になると考えます。

②時間的特性：勤務時間中に滞在すること

２つ目の特性は、非日常の場に本業の勤務時間中に滞在するという時間的特性です。

平日に、仕事と余暇の時間がミックスした状態になるのが、ワーケーションの大きな特性となります。

ちなみに、仕事に従事するパブリックな時間と、余暇を過ごすプライベートな時間をきちんと分けたい方は、ワーケーションに対して反発を覚えるかもしれません。しかし日常生活において、パブリックとプライベートは、すでにお互いを侵食し合っています。

例えば仕事のお昼休みに、仲のいい同期とランチをしながら、仕事やプライベートについてよもやま話をすることは、パブリックな時間なのでしょうか、それともプライベートな時間なのでしょうか。

あるいは仕事を終えた後に、そのまま恋人とデートして夜ごはんを食べたとします。帰宅までの時間は本来、労働者災害補償保険（労災）の対象で、パブリックな時間になります。しかし、仕事帰りにプライベートな予定を入れることは就業規則違反であり、一度まっすぐ自宅に帰るべきだと主張する人はいないでしょう。

また新型コロナ禍の前でも、自宅や喫茶店でＰＣ作業をしたり、メールを返したりなどの仕事をした経験のある人は多くいると思います。パブリックとプライベートは、皆さんが思っているより、まぜこぜになっているのが現実なのです。

そう考えると、ワーケーションはこれまでのオフィス勤務や在宅ワークと断絶したものではなく、むしろ延長線上にあると言えるのではないでしょうか。

③心理的特性：社員が自発的に選択すること

ワーケーションの3つ目の特性は、ワーケーションの場に自発的に行くのか、それとも会社命令によって行くのかという心理的特性です。企業によってはワーケーションを認める一方、行き先やコワーキングオフィスをあらかじめ指定して、その場所以外でのワーケーションを認めないとする場合もあります。

しかし会社の命令でパリに出張したとしても休暇とは言えないように、会社に指定されたワーケーション先に行くことが、本人の自発的意思によるものでないならば、それは出張に類するものと考えるべきです。

また社員旅行も同様に、ワーケーションとは言えないでしょう。同じ職場に属する社員が、グループで観光地や温泉地に行き、仕事に関わる研修を行う一方で、時間外には観光や宴会等を行う社員旅行は、高度経済成長期から多くの企業で行われてきました。しかし社員旅行ではどこに行き、どのような時間を過ごすか、自分の自由意思を絡めることができないため、余暇＝バケーションの要素はほとんどありません。

ワーケーションの、特に「バケーション」の要素が満たされるためには、場所と時間に関する選択権が本人にあることが大切なのです。

以上をまとめ、「非日常の場に、勤務時間中に、自発的に滞在して仕事・余暇を過ごすこと」を、本書ではワーケーションの定義としたいと思います。

日本におけるワーケーションの歴史

ワーケーションという言葉は、新型コロナ禍を契機に急速に広がった印象がありますが、実際には政府や自治体では、地方の人口減少を解消する手段の1つとして、以前から注目されていました。

日本の多くの地方都市は、少子高齢化に伴う地域の人口減少により、現在の定住人口だけでは生活インフラの維持が困難になっています。地方経済を維持するためには移住者を増やす必要がありますが、地域に関わりがなかった人の移住には、高いハードルがあります。

そのため、総務省は2009年度より、人口減少や少子高齢化等の進行が著しい地方において地域外の人材を積極的に受け入れる「地域おこし協力隊」の制度を開始し、また国土交通省では、2007年頃から2地域居住を推進してきました。

しかし地方移住の場合、その地域で生活の糧を稼げる仕組みがないと、現役世代の移住は難しいでしょう。2地域居住も同様で、2拠点目を保有する積極的な動機、すなわちその地域で副業をしていたり、休暇を過ごすのに魅力的な地域であることが重要なポイントとなります。

そこで、もっと気軽に長期滞在してもらうための、旅行以上移住未満の手段として、ワーケーションが注目されるようになります。また東京オリンピック・パラリンピックに多くの観戦客が国内外から訪れることが想定されていたため、オリンピック開催期間中に、人口密集を避けるために首都圏を離れて仕事をするという機運が高まりました。

その結果、2019年11月には和歌山県と長野県の呼びかけに応じる形で「ワーケーション自治体協議会」が立ち上がり、全国で65の自治体が参加しました。ちなみに2021年3月時点で参加自治体は175に増加しています。

しかし地方自治体のワーケーションに対する機運が高まる一方で、新型コロナ禍前の時点では、ワーケーションはおろか、リモートワークの導入さえ進んでいるとは言い難い状況でした。

総務省の「平成30年 通信利用動向調査」では、企業のリモートワーク導入率は全体で19・1％となっています。従業員2000人以上の大企業では同46・6％（図表3）とかなり進んでいるように見えますが、就労者に占めるリモートワーク経験者の割合は8・7％に過ぎず、リモートワークをしたくないと答えた人も75・0％に上っています（図表４）。

回答結果の背景には、制度面やシステム面における企業側の制約も起因していると思われます。例えばほとんどの企業では、現行の就業規則においてリモートワークを想定していないため、労務管理の面で課題があったり、ハンコに代表される社内プロセスを回すには、物理的にオフィスに行かなければならないケースがほとんどでした。またセキュリティポリシーで、会社に行かないと社内データにアクセスできない企業も多かったのではないでしょうか。

しかし２０２０年に入って新型コロナ禍が全世界で猛威をふるうようになると、リモートワークの環境が急速に整備され、これまでハードルとして立ちはだかっていた制度的・心理的な壁が取り払われます。その結果、実際に多くの人がオフィス外での仕事を経験することになります。

そしてこの流れに呼応する形で、自宅以外の場所でリモートワークを行う手法として、ワーケーションに光が当たるようになります。２０２０年9月7日の『日経クロストレンド』では、「『ワーケーション』が急浮上　明暗分かれた『インバウンド消

図表3：企業のリモートワーク導入率（規模別）

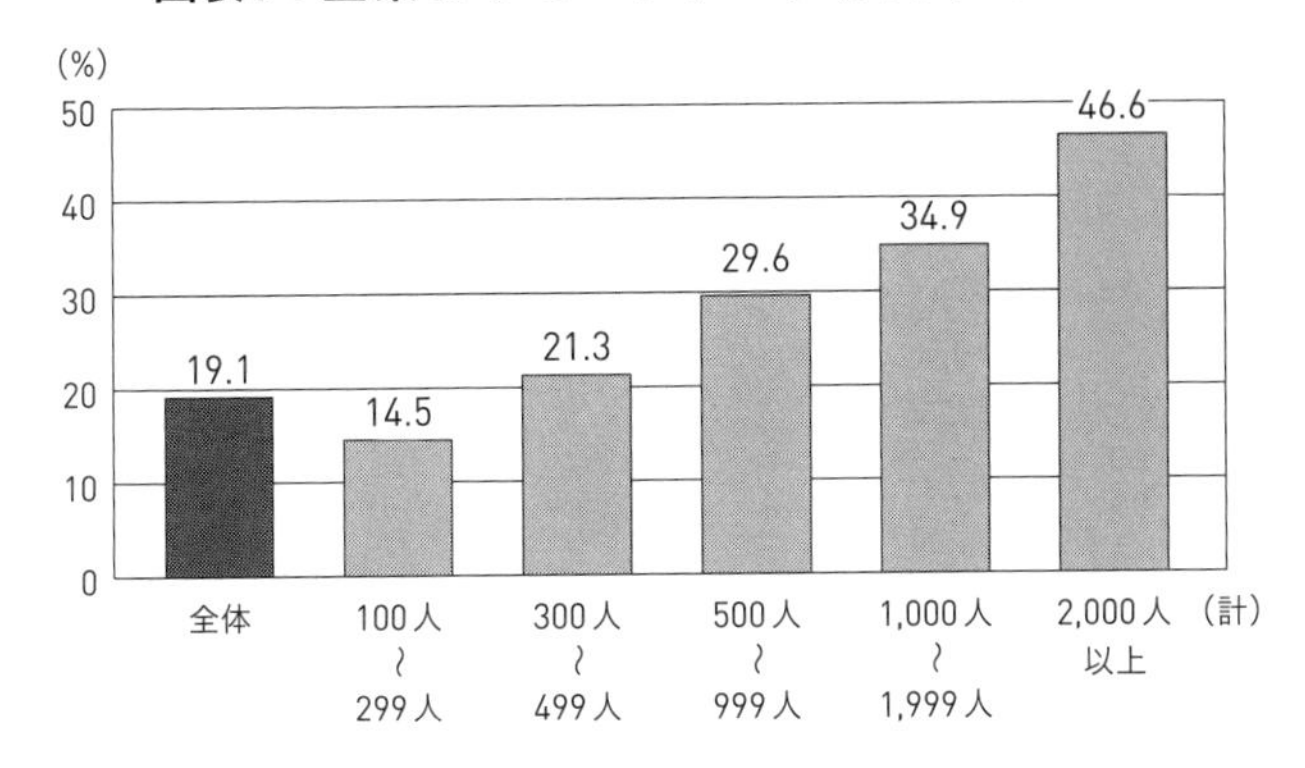

出所：総務省（2019年）「平成30年 通信利用動向調査」

図表4：リモートワーク実施の意向（全年代・無回答を除く）

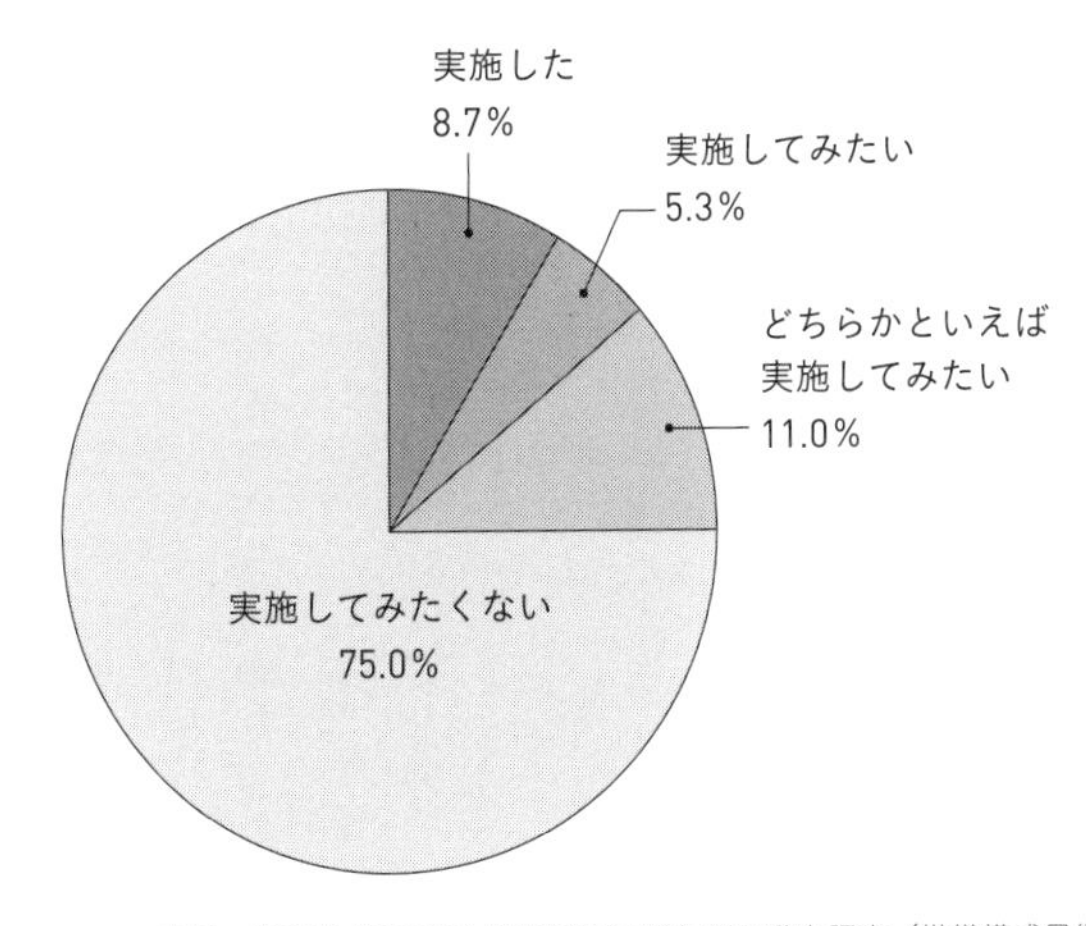

出所：総務省（2019年）「平成30年 通信利用動向調査（世帯構成員編）」

費』」という特集記事が組まれるまでになっています。

政府も新型コロナ禍を契機に、ワーケーションをさらに推進しようとしています。2020年10月には、観光庁がワーケーションの普及を目的とする「『新たな旅のスタイル』に関する検討委員会」を設置しました。

また2020年12月に政府が発表した「感染拡大防止と観光需要回復のための政策プラン」では、Go To トラベル事業の延長やワーケーションの普及によって国内観光の需要を喚起し、企業と地域双方の環境整備や、継続的な関係性の構築を目指すとしています。

新型コロナ禍がもたらした企業の意識変化

ワーケーションが地域の関係人口増加に寄与し、自治体にプラスの効果をもたらすことはあるとしても、それは企業や個人にとっても魅力的な選択肢であると言えるのでしょうか。

新型コロナ禍以降、リモートワークを取り入れた業務プロセスへの移行は、多くの企業で進んでいます。２０２０年5月25日の第1回目の緊急事態宣言解除以降も、特に大企業においては、出社比率の制限を継続する動きが見られます。例えばＫＤＤＩ株式会社やＮＴＴ（日本電信電話株式会社）などでは、出社比率を全社員数の３～５割と制限しています。

また、株式会社日立製作所は、新型コロナ禍の終息後も勤務日の50％を在宅勤務とする方針を発表しました。なお同社では在宅勤務を変革のドライバー（推進力）として、一人ひとりの仕事・役割と期待・成果を明確にする、欧米流の「ジョブ型人財マネジメント」への転換を加速することも目指しています。

さらにＨＲ総研（ProFuture株式会社）が２０２０年8月に企業の人事責任者や人事担当者に対して行ったアンケート結果によると、新型コロナ禍の影響により新たに実施した、もしくは検討した取り組みとして、「テレワークやワーケーション等の実施」が最も多く61％となり、次いで「多様な勤務時間の導入」が39％と、上位2項目が第

3位以下と比べて圧倒的に多い結果となりました。

また新型コロナ禍の影響によりテレワークを開始した企業の「現在のテレワークの実施状況」について、「一部社員を対象に実施している」が最多で55%、次いで「全社員を対象に実施している」が32%となり、実施している企業の割合を合計すると87%と9割近くに及んでいます。

「テレワークの継続実施の予定」についても、「全社員を対象に継続的に実施していく」が最多で35%、次いで「限られた社員を対象に継続的に実施していく」が32%、「対象者を拡大し、継続的に実施していく」が29%となり、ほとんどの企業が継続的に実施していく方針を示しています。

ではリモートワークの導入を進める中で、企業はどのようなメリット・デメリットを感じているのでしょうか。

テレワーク実施に伴う影響について、2020年5月に株式会社ラーニングエージェンシーが企業の人事・教育担当者948人に行ったアンケート調査によると、テレワークを以前から導入している企業では、「育児・介護との両立がしやすい」（71・3％）がトップとなり、次いで「コミュニケーションの不足」（68・4％）、「テレワークに不向きな職種・業務による不平等の発生」（62・0％）、「残業の削減」（50・3％）、「生産性の向上」（42・1％）といった項目が上位に挙がる結果となりました。

一方、新型コロナ禍の対策として初めてテレワークを導入した企業では、「コミュニケーションの不足」を挙げる企業が74・9％と最多となったほか、「テレワークに不向きな職種・業務による不平等の発生」（73・0％）、「残業の削減」（48・8％）、「業務効率の悪化」（44・8％）、「育児・介護との両立がしやすい」（44・6％）、という結果となり、急遽（きゅうきょ）テレワークを取り入れた企業ほど、マイナスの影響を挙げる企業が多い傾向にあることがわかりました。

また、テレワーク下で社員に求められるスキルは何かについて聞いたところ、第1位が「コミュニケーション力」（67・1％）、第2位が「自己管理力」（46・9％）となりました。会社の管理が行き届かない状況が生じることから、社員が仕事を自律的に管理する能力と、他のメンバーとのコミュニケーション能力が重視されていることが見て取れます。

ただしこれらの企業が想定しているテレワークは在宅ワークの範囲にとどまり、ワーケーションについてはいまだ導入は限定的で、企業も慎重な姿勢を見せています。株式会社JTBが2020年11月に総務人事担当者を対象に実施した「ワーケーション導入に関するアンケート」では、ワーケーションに「興味がある」と回答した人が60％に上る一方、「すでに導入している」と回答した人は4・4％にとどまっています。

アンケート結果だけを見ると、ワーケーションについては新型コロナ禍による進展があまりなかったようにも見えます。しかし企業が新型コロナ禍において在宅ワークを認め、多くの社員が実際にオフィスの外からリモートで仕事を行ったことは、私たちのワークスタイルにおける大きなターニングポイントであったと考えています。

オフィスワークからリモートワークへの移行に比べれば、リモートワークを行う場所を自宅から非日常の場所に移すことは、わずかな差異であると言えるでしょう。もちろん在宅ワークとワーケーションの間にも制度的・心理的なバリアが存在し、様々な課題が新たに生じることも想定されます。ただ、それらはいずれも解決可能なものであり、こうしたデメリットを補って余りある価値がワーケーションにはあると言えます。この点に関しては後ほど詳述していきたいと思います。

企業のリモートワークへのシフトが加速する

リモートワークが進展すると、生活や仕事に対する意識はどのように変化するのでしょうか。

リモートワークに対する個人の意識変化を示すものとして紹介したいのが、株式会社電通が新型コロナ禍を契機に実施した「変化の兆し100の問い」という調査です。同社はこの調査を2020年6月に、全国の16〜69歳の男女7000人を対象に実施し、新型コロナ禍における人々の意識の変化から、未来を予測する試みを行いました。

調査の結果によると、新型コロナ禍終息後も、リモートワーク中心の働き方を希望する人が44・8％と半数近くを占めています（図表5）。また「コロナ後も、移動範囲はコンパクトにしたい」（75・6％）、「自分が時間を使って移動する価値があるかどうかを改めて考えるようになった」（67・1％）など、移動の費用対効果に対して敏感になっていることが読み取れます（図表6）。

移動に対するこのような価値観の変化は、自分の生活における場所と時間の関係性を改めて見直すことへとつながっていくでしょう。

これまで、会社に勤めている人の多くは、オフィス＝働く、自宅＝くつろぐという形で切り分けることが可能でした。しかしリモートワークが普及し、裁量労働制が採用されるようになると、仕事＝パブリックと、余暇＝プライベートという場所と時間の垣根がなくなります。そして一人ひとりが自分が最もパフォーマンスを発揮できる「場所と時間の最適解（どこでいつ働くか）」を、自分でデザインする必要性が出てきます。

図表5：コロナを経たことによる働き方意識の変化

コロナが落ち着いてからも リモートワーク中心の働き方を希望する	→	44.8%
惰性で働くのではなく、 自身で働き方をデザインする必要性を感じた	→	66.5%
出社や対面での打合せなどの習慣が実は 時間の無駄であることに気づいた	→	58.1%

図表6：コロナを経たことによる移動価値観の変化

日常の中で意外と必要のない 移動が多かったことに気づいた	→	57.5%
コロナ後も、 移動範囲はコンパクトにしたい	→	75.6%
自分が時間を使って移動する価値があるか どうかを改めて考えるようになった	→	67.1%

図表7：コロナを経たことによる企業・オフィス意識の変化

好立地にキレイなオフィスがあっても 以前ほど魅力的ではなくなった	→	58.6%
リモート環境の有無がこれからの 企業評価には重要な指標になると思う	→	66.5%
オフィスの規模は（今より） 縮小すべきだと思う	→	58.6%

※複数回答

出所：「変化の兆し100の問い」（2020年 電通 長野隆史、鹿川耕治郎）

この意識の変化は、オフィスの今後のあり方にも大きな影響を与えることになります。好立地にキレイなオフィスがあることは、これまで企業のステータスとして捉えられ、社員にとっての大きな魅力でもありました。

しかし電通のアンケート結果を見ると、そうしたものに以前ほど魅力を感じなくなったという人が、全体の58・6%を占める結果となっています。その一方で、リモート環境の有無が、企業評価において重要な指標になるという人が66・5%と、全体の約3分の2を占めています（図表7）。

会社のオフィスという物理的・時間的な拘束から解放されたとき、社員はオフィスの快適性よりも、働く場所の自由度を高めることに投資してもらいたいと思うようになるでしょう。企業にとっても、都心部に広大なオフィスを構えて毎月の通勤定期代を支給するよりも、社員が自身の判断で仕事環境を最適化するためのお金を増やす方が、社員のモチベーションとコストの両面から都合がよいのです。

オフィスの解約と人々の都心離れ

オフィスの価値が変わった結果、企業や人々が東京都心部から、辺縁部へと引っ越しする流れも生まれつつあります。

企業が都心のオフィスを縮小する傾向は、すでに現れています。東京都心部のオフィス空室率について東京の千代田・中央・港・新宿・渋谷の5区の合計では、2020年2月から連続でオフィスの空室率が上がり続け、11月には4・33％、2021年2月には5・24％と着実に上昇しています。

オフィスの賃料も2014年1月から上がり続けていましたが、2020年8月に80カ月ぶりに下降に転じ、以来、2021年2月まで7カ月連続で下がり続けています。

2020年12月に森ビル株式会社が行った、東京23区の企業を対象にしたオフィス需要に関する調査では、「賃料の安いビルに移りたい」と答えた企業の割合が37％と、前年の19％から大きく伸びた一方、前年の第1位だった「新しい部署の設置、業容・人員の拡大」は14％で、前年の44％から大きく後退しました。

また、オフィスの場所や面積を変更する予定のある企業のうち、面積を「縮小予定」と答えた企業が42％と、「拡大予定」の33％を上回り、前年までの拡大傾向から一転して、縮小する動きが強まりました。

大手企業による都心部のオフィス売却も始まっています。２０２１年に入って、大手広告代理店の電通や大手物流の日本通運株式会社（日通）が、本社ビルを売却する方向で検討しているとの報道がありました。また大手商社の丸紅株式会社では、２０２１年5月に移転した新本社の座席数を7割程度にまで減らし、「働く場所にこだわらない態勢に切り替える」としています。

一方、企業がオフィスを捨ててリモートワーク中心の体制に移行するためには、様々なハードルを乗り越えなくてはなりません。リモートワークにすぐに移行できる職種は限られ、それ以外の職種では、ビジネスプロセスの変革が必要となります。IT化のための追加投資や現状の就業規則や労務管理の変更も必要となるため、短期的な投資額や業務負荷は相当なものとなるでしょう。

それでも現在、多くの組織がリモートワークを可能にするビジネスプロセスの改革を目指しています。中でも象徴的な動きと言えるのが、行政手続きにおけるハンコの廃止です。河野太郎行政改革相は、2020年11月13日の記者会見で、行政手続きで必要な認め印を全廃すると発表しました。具体的には、民間から行政機関への申請などで押印が必要な約1万5000の手続きのうち、実印が必要な83の手続きを除いた99%以上について、押印を廃止するとしています。これにより民間企業の脱ハンコも一気に進むと考えられます。

契約書などの押印作業がなくなることで、作業空間やコミュニケーション空間はデジタル化し、これまでなかなか進まなかったペーパーレス化も進展すると考えられます。

株式会社アイ・ティ・アール（ITR）が実施した「IT投資動向調査2021」の速報値では、今後取り組む予定の対応策として最も多かったのが、「社内文書（申請書など）の電子化対象拡大」「社外取引文書（契約書など）の電子化対象拡大」となっています（図表8）。
また日立製作所では、新型コロナ禍を契機に、紙を中心とした仕事の進め方を見直し、紙の使用量を年5億枚減らし、押印も全面廃止するといった目標を発表しています。

通勤の頻度が減り、自宅での仕事スペースの確保の重要性が増すことで、人々が都心部からより郊外へと移住する動きも現れています。２０２０年6月、東京都の人口は１９５６年の調査開始以来、6月としては初めて前月比で減少しました。さらに11月には前の月より７３００人余り減り、8月以降4カ月連続の減少を記録しています。

ＳＵＭＯ（スーモ）などの住宅情報サイトの閲覧数も、特に都心近郊3県（神奈川県・埼玉県・千葉県）の伸びが顕著となっています。

株式会社リクルート住まいカンパニーがＳＵＭＯの物件閲覧数を調べたところ、中古一戸建ての伸び率が顕著となり、また２０２０年1月と比較して２０２０年5月・6月では自然豊かな街、リゾート感覚の街の人気が上昇しています（図表9）。
これまで東京都心部の一極集中であった状況が変化するという歴史的転換が起き始めているのです。

図表8：新型コロナ禍後に取り組む予定のIT投資

項目	コロナ禍以前から実施済みのため対応せず	コロナ対応のために実施し、すでに完了	取り組み中または3カ月以内に取り組む予定	今年度内に取り組む予定	時期は未定だがいずれ取り組む予定
テレワーク制度の導入	19%	39%	14%	7%	7%
コミュニケーション・ツールの新規・追加導入	25%	34%	16%	8%	8%
リモートアクセス環境の新規・追加導入	18%	31%	18%	11%	9%
PC、モバイルデバイスの追加購入・追加支給	19%	27%	17%	13%	9%
私物PC・デバイスの業務利用(BYOD)の許可	12%	17%	15%	10%	10%
情報セキュリティ・ツールの新規・追加導入	22%	19%	17%	12%	11%
ネットワーク・インフラの増強	19%	20%	18%	13%	12%
サテライトオフィス(本社以外の業務拠点)の新設	12%	14%	16%	12%	10%
採用活動(会社説明会・面接など)のオンライン化	9%	26%	17%	13%	11%
営業活動(商談)のオンライン化	8%	26%	19%	12%	12%
オンラインサービス事業の開始	14%	16%	15%	11%	12%
販売チャネルのオンライン化(ECサイト新設など)	13%	15%	15%	11%	10%
コーポレートWebサイトの強化・見直し	15%	15%	17%	12%	11%
ファイルサーバ(ファイル共有ツール)のクラウド化	21%	14%	17%	13%	12%
基幹系システムのクラウド化	20%	15%	17%	12%	15%
社内文書(申請書など)の電子化対象拡大	17%	16%	18%	15%	15%
社外取引文書(契約書など)の電子化対象拡大	13%	15%	20%	14%	16%

出所：ITR「IT投資動向調査2021年」※速報値より

人々が郊外や地方への移住を志向する動きは、新型コロナ禍がもたらした一時的なトレンドでしかないという見方もありますが、私はこの流れが中長期で本格化していくと考えています。

その理由として挙げたいのが、先ほどより述べているオフィス出社に対する企業意識の変化です。短期的には以前の全員出社スタイルへの揺り戻しが見られるかもしれませんが、オフィス縮小には大きなコスト削減のメリットがあるため、1日あたりの出社人数を抑制することでオフィスを縮小・統廃合する動きは、より一層加速していくでしょう。

会社の方針転換により、働く場所の自由度が高まったとき、仕事のハブ（中心）は「オフィス」から「自宅」に移行することになります。しかし都心の便利ではあるけれど手狭なマンションに暮らしている人や、小さい子供を抱えている人にとっては、自宅でのリモートワークは快適に行えるものではありません。

電通の調査でも、「住まいの設備や環境をより良くしたいと思った」人は73・1％、「都心部で便利な場所より空気と水がキレイで物価が安い場所に住みたいと思った」

図表9：中古戸建て物件の閲覧数伸び率（前年1月比）

2020年5月	1.	木更津市（千葉県）	220.0%
	2.	館山市（千葉県）	211.2%
	3.	三浦郡葉山町（神奈川県）	199.8%
	4.	那須郡那須町（栃木県）	196.1%
	5.	逗子市（神奈川県）	189.0%
2020年6月	1.	千葉市緑区（千葉県）	233.9%
	2.	富津市（千葉県）	201.1%
	3.	千葉市美浜区（千葉県）	190.1%
	4.	三浦郡葉山町（神奈川県）	186.5%
	5.	館山市（千葉県）	184.4%

出所：リクルート住まいカンパニー（2020年）「SUUMO」調べより

図表10：コロナを経た住まい価値観の変化

住まいの設備や環境をより良くしたいと思った	73.1%
都心部で便利な場所より空気と水がキレイで物価が安い場所に住みたいと思った	64.8%

※複数回答

出所：「変化の兆し100の問い」（2020年 電通 長野隆史、鹿川耕治郎）

人が64・8％に上っています（図表10）。

私たちのライフスタイル、ワークスタイルにおいてリモートが標準となったとき、自宅で仕事を行うことに限界を感じている人が都心を離れて郊外へ転出する動きが拡大するのは、極めて自然な流れだと言えるのではないでしょうか。

ワーケーションは創造力を引き出す「仕掛け」である

オフィスに出社する必要がなくなり、より柔軟な働き方が許容されても、手狭な現在の住まいから、すぐには引っ越しできない事由を抱えている人もいるでしょう。そういう人にとっては、オフィス・自宅以外の第3の場所で仕事をすることの価値が大きくなります。

ワークスペースとなる第3の場所としてまず考えられるのが、日常生活圏内にあるコワーキングオフィスや喫茶店です。そして、これらの場所で働くことに慣れてくると、仕事の場を非日常まで広げること、すなわちワーケーションが選択肢として検討

図表11：ワーケーションを行いたい場所と過ごし方

順位	場所と過ごし方	割合
1位	温泉地でのテレワーク	20.2%
2位	ホテルや旅館でのテレワーク	16.0%
3位	海やリゾート地でのテレワーク	13.3%
4位	キャンピングカーで車中泊をしながらのテレワーク	10.0%
5位	山林など自然の中でのテレワーク	9.2%

※複数回答 〈全体(n＝1,792)〉

出所：KINTO(2020年)「ニューノーマル時代の『移動』に関する意識調査」

されるようになってきます。

現在のワーケーションに対する人々の認識を示す調査結果について紹介します。トヨタの自動車サブスクリプション（定額制）サービスであるKINTO（キント）が、2020年11月に行った移動や旅行に関する一般生活者の意識調査結果によると、ワーケーションを実施したことがある人の割合は3・8％で、ワーケーションに興味がある人は16・2％でした。

また、ワーケーションの場所と過ごし方で最も人気があったのは「温泉地」で20・2％でしたが、「海やリゾート地でのテレワーク」（13・3％）、「キャンピングカーで車中泊をしながらのテレワーク」（10・0％）、「山林など自然の中でのテレワーク」（9・2%）など自然の多いエリアでのワーケーションが人気となっています（図表11）。

ワーケーション先に誰と行くかという質問では、分散した結果が出ています。Airbnbが2020年11月に日本全国1000人を対象に行ったアンケート調査では、「誰とワーケーションするのが理想ですか」と聞いたところ、回答者の56%が1人で、ワーケーションをしたいと答え、同僚と行いたいという人も20%いました。その一方で、友人（13%）や家族（12%）は意外と低く、プライベートの旅行と仕事は切り離したい傾向にあるという結果になりました。

また、どの世代でも「自分のみ」でワーケーションをしたいという回答が多いものの、世代によって細かな差が見られます。65歳以上の世代では、1人でワーケーションをしたいという傾向が強く（62%）、家族としたいと回答した層は55〜64歳がトップ（20%）でした。同僚や友人とワーケーションをしたいと答えた人が最も多かったのは18〜24歳で、若年層の方が同僚や友人と一緒に過ごすワーケーション利用を望んでいることがわかりました。

さらに、ワーケーション時に滞在する宿泊施設を選択する際に最も重視する項目については、新型コロナ禍を防ぐための清潔さと対策（49％）がトップとなりました。その他には高速Wi-Fi（43％）と携帯電話の受信（42％）が重要と考えられ、静かさ（35％）、机や椅子などの仕事ができる設備（30％）、近くに癒しの場所がある（27％）、駐車スペース（27％）といった項目が続きます。

ワーケーションに対する社会的な共通認識はまだなく、慎重な意見が多いのも事実です。その状況を承知しながらも、私は仕事のハブが自宅に移行するにつれて、ワーケーションは急速な普及を見せると予測しています。なぜなら、私たちがリモートワークを前提とした社会で成果を出し続けるためには、「時間密度の最大化」と「体験感度の鋭利化」という相反する要素を両立させる必要があり、それを可能にする働き方がワーケーションであるからです。

先ほど取り上げた電通の「100の問い」チームでは、新型コロナ禍後のワークスタイルの特性として「時間密度の最大化」と「体験感度の鋭利化」という2つの要素を挙げています。
「時間密度の最大化」とは、1日24時間の中で無駄な時間を極力排して、なるべく意味のある時間に投資しようとする性向を意味します。一方、「体験感度の鋭利化」とは、体験の幅を広げて、物事に対する感度を高めることで、見落としていた新しい価値を発見しようとする性向を意味します。

効率化を至上命題として、「時間密度の最大化」を価値とするのが、現在の一般的なワークスタイルです。しかしこのワークスタイルでは、新しい視点や価値を生み出すことは難しいでしょう。ギリシャ彫刻やルネサンス、アール・ヌーボーなど、芸術・文化の勃興の歴史からもわかるように、社会に一定の余裕があり、無駄や遊びが許容される非効率な状況において初めて、「体験感度の鋭利化」が生じ、新しい文化や価値が生まれやすくなります。このように「時間密度の最大化」と「体験感度の鋭利化」は、矛盾する概念なのです。

しかし、仕事と休暇の概念を融合することができれば話は変わります。仕事と休暇を混在させた時間を作ることで、仕事の効率性を担保しつつ（＝時間密度の最大化）、休暇を通して新しい発想や考え方を生み出せる（＝体験感度の鋭利化）可能性が高まると考えられます。

ワーケーションとは、「休暇と仕事を混在させた時間を意識的に作り出す」ことで、創造力＝クリエイティビティを引き出す一種の「仕掛け」なのです。そして、絶え間なく変わる市場環境の中で、新しい価値を生み出し続けるためには、この仕掛けをどう活用していくかがとても大事になるのです。

第2章 私たちが働く理由とワークスタイルの変遷

私たちにとって働くことの意義とは

第1章ではワーケーションの定義と現状について考えてきました。本章ではワーケーションの意義をより理解するため、一歩立ち戻り、私たちにとって働くとはどういうことかについて、仕事の歴史の振り返りと未来の予測を通じて考察していきたいと思います。

働くということは、人生の相当の時間を費やし、ときに多くの苦労をもたらすものとなります。それに対して休日は待ち遠しいものであり、休日明けの月曜の朝を憂鬱に感じる人も多いでしょう。

その一方で、定年退職して仕事がなくなることを皆が手放しで嬉しいと感じているかと言うと、そうでもないようです。実際、大金持ちになって働く必要がなくなった人でも、まったく何の仕事もせずに完全リタイアしている人は珍しいのではないでしょうか。

米コロンビア大学の経営学者ドナルド・E・スーパーは、1950年代に行った「仕事の重要性研究」の中で、人間が仕事に対して持っている価値観を14の項目に分け、どれを重要視しているかで、仕事に対する価値観が決まると考えました。

①能力の活用─自分の能力を最大限に発揮できる
②達成─よい結果が生まれたと実感できる
③美的追求─美しいものを見出し、創り出す
④愛他性─人の役に立てる
⑤自律性─自分で判断して活動できる
⑥創造性─新しいもの・新しい考え方を創り出せる
⑦経済的価値─お金を稼ぎ、高水準の生活ができる
⑧ライフスタイル─自分の望む生活を送れる
⑨身体的活動─体を動かせる
⑩社会的評価─社会に仕事の成果を認めてもらえる
⑪冒険性─ワクワクする体験ができる
⑫社会的交流性─いろいろな人と接点を持つことができる

⑬多様性――多様な活動ができる
⑭環境――仕事やその他の環境が心地よい

これらの項目を見てみると、仕事は単に生活の糧を得る手段ではなく、身体的・精神的健康や自己実現を感じる手段として、重要な意味を持っていることがわかります。

一方、働くことの歴史を振り返ってみると、仕事がポジティブなものとして捉えられたのは近代になってからだということがわかります。

そこでまず、労働に対する価値観の変化の歴史を振り返り、働くという概念が歴史上、どのように位置付けられてきたのかについて検証してみましょう。

労働における価値観の変遷

〈先史時代：生きるために誰もが行うこと〉

先史時代において労働とは、生きるために誰もが欠くことのできない活動でした。

アメリカの心理学者であるアブラハム・マズローは、人間の欲求を「生理的欲求」「安全の欲求」「社会的欲求」「承認欲求」「自己実現の欲求」の5つの階層に分けました。この説に従って考えると、先史時代における労働は、食欲を満たすという生理的欲求や、住居を作るといった安全の欲求を満たすために行わざるをえないものとして定義づけられます。それらは肉体労働を中心とした、現代から見ればとても過酷なものであったと考えられます。

オンライン版の米科学誌『サイエンス・アドバンシズ』に掲載された論文によると、当時の女性は厳しい労働に従事していた結果、その腕骨の強度は現代の一般的な女子学生の30％近く高いという結果が出されています。

時代が下るにつれて、生存のための労働は、コミュニティ単位で分業化されるようになります。そして、衣服を作ることで食糧を得るといった、労働交換に基づく経済システムの原型が生まれることになりました。

〈古代ギリシャ：出自で仕事が異なる（もしくは仕事をしない）〉

貨幣が発明されると富をため込むことができるようになり、働かなくても生命を維持できる人々や階層が出現しました。古代ギリシャのポリス社会は、働く人々と働かなくてよい人々の階層が、はっきりと分かれた社会の最も初期の例です。古代ギリシャ人は、肉体労働を卑しく呪いに満ちたものと見なし、戦争の捕虜や奴隷が従事するものと考えていました。その結果、支配者たる自由な市民たちは、労働することなく捕虜・奴隷たちの労働の成果を消費することで、生活を行うようになります。

古代ギリシャの哲学者であるアリストテレスも『政治学』の中で、労働から解放された市民だけが思考の自由を保持することができると唱え、特に耕作や物を作るなどの肉体労働をすれば、思索の余裕など持てるはずがなく、市民は従事すべきでないとしました。

古代ギリシャのように社会階層を設けて、階層ごとに行う仕事を決める仕組みは、後世になっても地域によって見られます。例えばヒンドゥー教では「カースト制度」が設けられ、人は自分が生まれた家の階層に応じた職業を世襲し、生活しなければなりませんでした。日本でも江戸時代には身分制度がとられており、職業選択の自由はなかったのです。

〈中世のキリスト教・イスラム教：宗教活動としての仕事〉

キリスト教やイスラム教といった世界的な宗教もまた、労働観を形成する上で重要な役割を果たしてきました。初期のキリスト教においては、古代ギリシャと同様に、働くことは神からの罰として捉えられていました。旧約聖書の「創世記」では、アダムとイヴが禁断のリンゴを食べた罰として、アダムに対して神がこのように述べます。

> お前は、生涯食べ物を得ようと苦しむ。（中略）お前は顔に汗を流してパンを得る／土に返るときまで（「創世記」第3章17～19節〔日本聖書協会〕）

しかし中世に入ると、神学者は生活に必要なものを得るために働くことは貴重なことであると主張するようになります。働くことは、人々が怠惰な方向に流れることを防ぐ救済であり、生きるための労働を人生の尊い行いと見なしたのです。

イスラム教もまた、働くことを宗教活動の1つと考えていました。イスラム教信者にとって仕事は、権利であると同時に責務であると見なされています。またシャリーア（イスラム法）によって認められた職業の種類に反しない限り、個人は自らの職業を選ぶ権利を有し、すべての職業は平等であると考えられていました。

〈産業革命以降：宗教と労働の分離と新たな階層制度〉

中世キリスト教では労働は宗教活動として捉えられていたため、労働による蓄財や、金銭を求め私利私欲を追求することは、批判的に捉えられていました。この考えを変えたのが、マルティン・ルターやジャン・カルヴァンらにより16世紀に始まった宗教改革です。彼らの唱えたプロテスタンティズムでは、勤勉な労働によってもたらされる富の増大が積極的に肯定されました。

さらに１７８９年のフランス革命などにより、人々が政治的平等や経済的自由を手にすると、職業倫理は宗教から切り離され、仕事・事業は成功者になるための手段として称揚されるものとなります。

これらの考え方が土台となって、産業革命を契機に自由な経済活動が進展し、結果として社会は少数の富める資本家と、多数の賃金労働者に二分されることとなります。

また、製品・サービスが複雑化・高度化する中、賃金労働者の仕事は生産性を高めるために分業化され、特に工場のブルーワーカーに関しては効率化の仕組みが徹底されるようになります。

アメリカの経営学者フレデリック・W・テイラーが20世紀初頭に提唱した「科学的管理法」では、工場における課業管理（＝1日のノルマの設定）、作業の標準化（＝マニュアル化）、作業管理のための最適な組織形態（＝生産部門と計画・管理部門の分離）によるコストダウンと大量生産が可能となり、フォードによる自動車の大衆化にも大きく貢献しました。しかし効率性のみを重視した労働管理は、人間性を軽視し、人権侵害につながるものとして、やがて批判を受けるようになります。

〈第二次世界大戦後：サラリーマンの台頭〉

第二次世界大戦後は人権に対する意識が高まり、労働者を保護するための様々な法律・制度が整備されるようになります。

しかし多くの人々は天職や仕事のやりがいよりも、安定した社会的地位や報酬を求めてサラリーマンとなり、「悪くない給料とまずまずの年金、そして自分と限りなくよく似た人達の住む快適な地域社会に、そこそこの家を与えてくれる仕事に就こうとする」（ウィリアム・H・ホワイト『組織のなかの人間　オーガニゼーション・マン』東京創元社）ようになります。

この傾向は、先進国における大量消費社会の到来でさらに加速します。私たちは社会的に認められている会社に入社し、滅私奉公の代償として生活の安定と高い報酬を得て、家、車、宝石などあらゆるものを購入することで、絶え間なく増大する欲望と他者への自己顕示欲を満たす（アメリカの経済学者ソースタイン・B・ヴェブレンは、このような消費行動を「衒示的消費（げんじ）」と呼びました）ことに意義を見出すようになります。

特に日本においては企業が年功序列・終身雇用の制度を採用し、社員の生活の安定が担保されていたため、サラリーマン化が急速に進むことになります。実際、日本のサラリーマン率は戦後間もない1953年には42・4％だったのに対し、2005年には倍の84・8％にまで増加しました。

しかしバブル崩壊やリーマン・ショックを契機に、正規雇用や終身雇用といった従来の制度は転換期を迎えることになります。そして、経済的かつ精神的な拠り所であった社会的地位や安定した報酬が失われるにつれて、私たちは何のために働くのかといったことがフォーカスされるようになります。

さらに、1つの会社に生涯勤めるよりも転職することが当たり前の時代が来たことで、自分がなぜその会社でその仕事をするのか、どのようにキャリアを形成していくべきかが大きな意義を持つようになりました。

このような雇用制度に関する地殻変動が起きつつあったところで生じたのが、新型コロナ禍によるワークスタイルの大きな変化です。しかしその詳細に入る前に、私たちの働き方に大きなインパクトを与えると考えられる、テクノロジーの進展について考察してみましょう。

AIは人間の働き方をどう変えるか

未来の働き方について考える際に外すことができないのが、AI（人工知能）やロボットのテクノロジーが、働き方をどのように変えるかということです。このことを考える上で取り上げたいのが、アメリカのシトリックス・システムズ社（Citrix）による〝Work 2035〟というレポートです。

このレポートは、2035年にテクノロジーによって私たちの働き方がどのように変わるかを展望するため、1500人以上のビジネスプロフェッショナル（経営層と従業員を含む）にインタビューを行っています。

インタビュー結果によると、ビジネスプロフェッショナルの96％が、人間の労働者よりもAIの方が組織に収益をもたらすようになる「転換点」が、2028年に来ると予測しています。今から10年もしないうちに、AIが人間の労働力を上回ると考えられているのです。

この予測を現実的なものとして考えにくいかもしれませんが、実際にはすでに多くの仕事が、AIやテクノロジーによって代替されています。例えば、株トレーダーの世界について考えてみましょう。証券会社大手のゴールドマン・サックスでは、20

00年には600人のトレーダーがいましたが、2017年1月にはわずか2人になったと言います。その一方で、日々の取引作業は、200人のITエンジニアが運用するロボットトレーダーが実施するようになっています。

ゴールドマン・サックスだけが特殊な状況にあるのではありません。イギリスの調査会社コアリションによれば、株式取引の45%の収益は電子取引によるものだそうです。また1000分の1秒以下といった極めて短い時間で自動的に株の売買をするHFT（High Frequency Trading：高頻度取引）が一般化した結果、デイトレードに関して人間のトレーダーが太刀打ちできない状況が生まれています。

AIによって代替される仕事は、さらに多岐にわたることが予想されています。株式会社野村総合研究所が英オックスフォード大学のマイケル・A・オズボーン教授らと行った共同研究によると、日本の労働人口の49%が就いている仕事は、2030年までにAIやロボット等で代替可能になると言われています。

例えば郵便配達、電話交換、ドライバー、清掃、倉庫作業などの仕事は、同じ業務を繰り返し行う側面が強いため、機械による代替可能性が高まると言います。また公認会計士・税理士などの専門的な職種でさえ、代替可能性が高い区分に入っています。

先述のシトリックスのレポートでは、ＡＩによる影響を受けるのは一般労働者だけではなく、経営層にも及ぶと予測しています。ビジネスプロフェッショナルの57％が、２０３５年にはＡＩがほとんどのビジネス判断を行い、従来型の経営チームは不要になると予測しています。

以上の将来予測を踏まえ、シトリックスのレポートでは２０３５年の未来の働き方として、集権型組織と分散型組織、テクノロジーを使いこなす側と代替される側という２つの軸で区分けした４つのモデルを次のように提示しています（図表12）。

FREELANCE FRONTIERS（分散型組織で、テクノロジーを使いこなす労働者）：組織は少数の正社員と、テクノロジーを活用するオンデマンドワーカー（必要なときに招集できる人材）で成り立っている。テクノロジーツールが効率的かつ効果的なリモートワークを可能にして、ＶＲ（Virtual Reality：仮想現実）を通じて労働者はコラボレーションし、価値を生み出している。

図表12：未来の働き方の4つのモデル

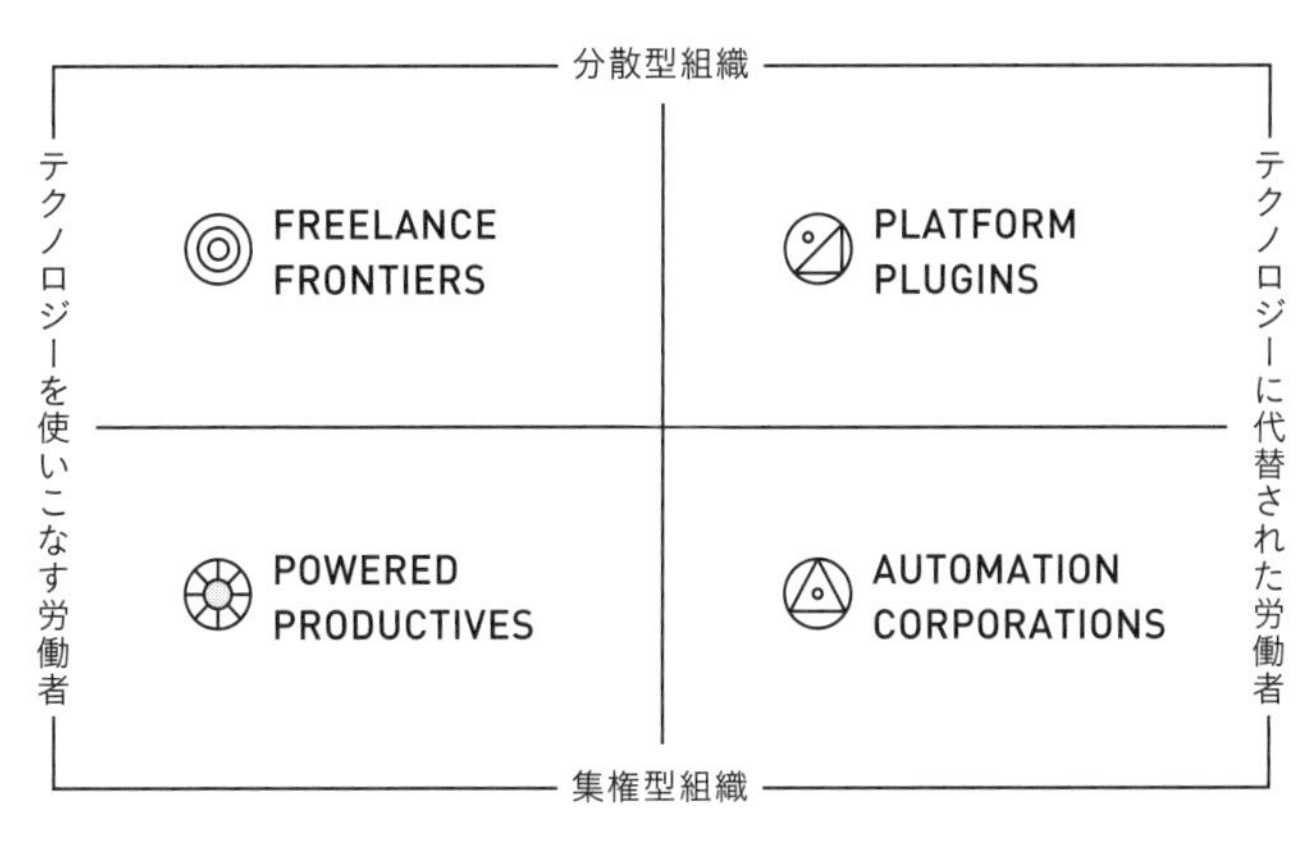

出所：Fieldwork（2020）by Citrix Work 2035

PLATFORM PLUGINS（分散型組織で、テクノロジーに代替された労働者）：既存のテクノロジーの恩恵を受けて、中小企業が大企業と互角に戦うことができるようになっている。AI、機械学習やデータ分析ツールが強力かつ高い信頼性を誇る結果、正社員は激減している。いまだ必要とされる人材は、テクノロジーを構築、点検、管理するフリーランスのスペシャリストだけである。

POWERED PRODUCTIVES（集権型組織で、テクノロジーを使いこなす労働者）：人とテクノロジーの融合により、組織の生産性が圧倒的に上昇している。ビジネスリーダーは常に労働環境を進化させており、労働者も意義のある仕事を楽しみ、テクノロジーを活用して自身のパフォーマンスを継続的に高めている。

AUTOMATION CORPORATIONS（集権型組織で、テクノロジーに代替された労働者）：すべてのワークプロセスをコントロールすることで最大限の効率性を発揮し、最新の技術を最も早く導入して市場を独占できる企業だけが勝ち組となる。労働者の能力は重要である一方、より代替しやすいものとなっている。多くの職務が次々と自動化され、変化していく流れに労働者はついていかなくてはならない。

これら4つのモデルについて理解を深めるために、それぞれに当てはまる具体的な事業をイメージしてみましょう。

まずFREELANCE FRONTIERSの例として挙げたいのが、システムのアウトソース開発での仕事です。アウトソース開発においては、プロジェクトマネージャーに社内の正社員を立てる一方、実際の開発を行う人材は外部企業やフリーランス人材を必要に応じて確保します。

次にPLATFORM PLUGINSの例としては、楽天のようなEC（Electronic Commerce：

電子商取引）プラットフォームに出店する中小企業での仕事が当てはまるでしょう。バーチャルな販売プラットフォームが存在することで、個人や中小企業でも物理的な店舗を持つことなく出店することが可能となっています。

3番目のPOWERED PRODUCTIVESについては、現在の一般的な企業組織の労働管理体系が維持されたまま、そのオペレーションがよりＩＴ化された状態をイメージするとよいと思います。

そして最後のAUTOMATION CORPORATIONSは、自動化された工場での作業が当てはまると考えられます。

新型コロナ禍以前のアンケートでは、経営者と労働者は４つのモデルのうち、POWERED PRODUCTIVESあるいはPLATFORM PLUGINSが未来のワークスタイルになる可能性が高いと予測していました。POWERED PRODUCTIVESは多くの企業が現在採用している組織運営の延長線上にあるワークスタイルであり、PLATFORM PLUGINSは中小企業やフリーランスのビジネススタイルとして近年、市民権を得ていたことが予測の背景にあると思われます。

しかし新型コロナ禍を契機に、この考えは大きく変わることになります。シトリックスが新型コロナ禍が拡大した後に再度ヒアリングした結果によると、経営者と労働者の意識は変化し、FREELANCE FRONTIERSが活躍する未来が最も起こりうると考えられるようになったと言います。このような意識の変化が起きた理由としてシトリックスは、「仕事の分散化志向」と、「人的リソースの重要性の高まり」という2つの現象を指摘しています。

まず「仕事の分散化志向」について説明します。ビジネスリーダーの65%が、新型コロナ禍によってZoomなどのオンライン会議システムやSlackなどのチャットツール、あるいはGoogle Docsなどのオンライン文書作成・編集ツールといったデジタルテクノロジーの活用が中心になると考えるようになりました。

その結果、半数以上のビジネスリーダーは、オフィススペースを削減して契約社員をより活用する、分散型のネットワーク形式でビジネスが行われると予測しています。新型コロナ禍をきっかけに、リモートワークやサラリーマンの副業が増えたことからも頷（うなず）ける結果であると言えそうです。

分散型のビジネスモデルが中心になり、契約社員が多くなる一方、逆説的に重要性が増しているのが人的リソースです。70%以上のビジネスリーダーが、新型コロナ禍がもたらした危機によって、労働者の重要性が高まったと答えています。

新型コロナ禍を経たことで、経営者はなぜ人間の労働者を重んじるようになったのでしょうか。レポートでは、経営者が未知の、あるいは想定外の事象に直面したときの人間の能力や可能性を改めて認識したからではないかと指摘しています。

定まったルールのもとで、データを分析して最適解を出すのは、システムやAIが得意とする領域です。しかし新型コロナ禍のような想定外の状況においては、ゲームのルールを変え、新しいルールを設定する人間の判断力と意思決定が大切であることが浮き彫りになりました。既存のルールの外に出て、イノベーションを起こしたり新たなルールを作るといった革新性や創造性は、引き続き人間の手によってしかなしえないことに人々が気づいたと言えます。

このことは芸術分野におけるAIの活用と重ね合わせて紐解(ひもと)いてみると、わかりやすいかもしれません。最近、17世紀の画家であるレンブラントの全作品をＡＩに機械学習させることで、レンブラントの作風を再現した新作を描くというプロジェクトが話題になりました。ＡＩによって作られた絵画は素晴らしいものでしたが、しかしこれはレンブラントの作品をうまく模倣することができたに過ぎません。

また、レンブラントやフェルメールなどバロック様式を代表する画家の絵をどれだけデータ化して学習させても、そこからエドゥアール・マネやクロード・モネなどのいわゆる印象派の絵画が創造されることはないでしょう。奥行きがない空間や陰影に乏しい色彩、自分の目に映った情景の印象を素直に写し取るといった印象派の絵画手法は、それまでの絵画のルールや技法からは大きく逸脱しており、美に対する新しい解釈、すなわちイノベーションを生み出すことにはたどり着けないからです。

新型コロナ禍後の社会において、人間である私たちに求められている価値は、既存の枠組みからは想起が難しい新しい視点を持ち込み、イノベーションを可能にする「クリエイティビティ」の発揮です。だからこそクリエイティビティを発揮できる仕事の環境をいかに確保するかが、働き手である私たちにとって重要になってくるのです。そして、その解となるのが、次項から述べるマルチロケーションとマルチワークによる新しい働き方です。

ワークスタイルの未来：①自宅のハブ化とオフィスのシェア

新型コロナ禍は対面でのコミュニケーションを中心としたワークスタイルを、リモートワークを併用した形へと急速に転換させることとなりました。

ではポスト・コロナ社会におけるワークスタイルは、どのような特徴を有しているのでしょうか。まず取り上げたいのが、「自宅のハブ化」と「オフィスのシェア」によるマルチロケーションの推進です。

私は2019年に出版した『いまこそ知りたいシェアリングエコノミー』(ディスカヴァー・トゥエンティワン)の中で、シェアリングエコノミーとは「企業・個人が保有するモノや資源＝リソースに有償の利用権を与える仕組みである」と定義しました。

そして所有権の移転を行うことなく、他人にリソースを利用するためのアクセス権を提供することを「社会的共用」という言葉で説明しました。これまでの社会では、リソースを所有する人が、そのリソースの使用をほぼ独占することが一般的でした。しかしAirbnb等のシェアリングエコノミーの進展は、例えば私たちの自宅といったプライバシーやセキュリティが最も求められる空間でさえ、民泊という形で見知らぬ人に安心・安全な形で、共同で利用（＝共用）することを可能にしました。

オフィスに行くことが求められないワークスタイルが一般化してくると、自宅があらゆる活動のハブとなる一方、都心一等地のオフィスの余剰が共用対象となり、組織や地域の枠を超えて利用することが社会のトレンドになると予想されます。

ドイツのコンサルティング会社であるローランド・ベルガーが2020年5月に行った最新の調査によると、ポスト・コロナの社会においては「人の移動総量の減少」「移動ピークの平準化」「移動ポートフォリオの多様化」「移動に求められる質の変化」が生じ、10項目の移動の変化が想定されるとしています。

①仕事による出張の減少：企業間のコミュニケーションのデジタル化により、対面ミ

ーティングの機会は減少

②リモートワーク・オンライン授業の浸透：在宅や多様な場所にて仕事や学習を行う機会が増加

③オンライン消費・遠隔サービスの拡大：ネットショッピングやデリバリー、バーチャル体験等の利用が拡大

④仕事と日常生活の時間の融通の容易化：仕事の時間の使い方が個人に委ねられ、融通が利くように

⑤健康維持・QOL向上を目的とした外出・交流の増加：リモートワーク等の反動で一部外出・交流ニーズが拡大

⑥長期休暇取得の容易化：休暇中の必要に応じたオンライン会議活用等により、休暇取得ハードルが低下

⑦繁忙期・混雑を回避する過ごし方の浸透：混雑時期・場所を避けた休暇ニーズが増加

⑧1人の時間や空間の確保：在宅勤務等の経験を踏まえ、生活者が1人の空間・作業環境を求めるように

⑨社会貢献を意識した消費行動の活発化：社会貢献の重要性が再認識され、環境やS

DGsへの関心が拡大

⑩郊外・地方への回帰：快適な生活を求め、郊外・地方への移住者が増加

10項目の変化のうち、①仕事による出張の減少、②リモートワーク・オンライン授業の浸透、③オンライン消費・遠隔サービスの拡大などは、日常生活の様々な活動が移動の制約から解放されることを示しています。このことを逆説的に捉えると、移動を行わない結果、最も長い時間、物理的に滞在する場所である自宅の重要性が増し、自宅の多機能化が必要になることを意味します。

実際、新型コロナ禍を経て、自宅は暮らすための機能だけでなく、仕事やプライベートをより充実させるための機能を具備することが求められるようになっています。すなわち自宅において、④仕事と日常生活の時間の融通の容易化、⑧1人の時間や空間の確保などが必要となってきます。一方、自宅の多機能化を実現するためには一定の広さや住環境が大事となってきます。その結果、⑩郊外・地方への回帰が起きることが予想されるわけです。

自宅をハブとしたワークスタイルの浸透は、同時に、オフィスが果たす役割・機能に対する考え方にも大きな影響を与えます。

オーストラリアのニュー・サウス・ウェールズ大学のアイヴァ・ドゥラコービッチ氏は、「私たちがオフィスに行く回数を減らすことができれば、通勤のストレスを感じることがなくなり、またその通勤時間を生産的な時間に活用することができるため、ワークライフバランスを向上させるであろう」と述べています。また、「従来のオフィスがなくなることはないが、その目的や機能は変わってくるであろう」と言います。つまり、本社オフィスは社員がつながるための機能を果たせばよく、必要な面積は現在よりもはるかに小さくなり、その代わりに働くための分散したハブ、すなわちコワーキングオフィスを整備することになると述べています。

実際、新型コロナ禍を契機とした業務のペーパーレス化が進み、すべての情報がオンライン化されるのであれば、毎月多額の家賃を払い続けてオフィススペースを維持する意義は薄れていくでしょう。

一方、自社ビルを保有している企業や不動産事業者は、すでに所有しているオフィス資産を最大限に有効活用することが求められます。その方策として考えられるのが、様々な企業の間でオフィスの社会的共用を実現することです。すなわち、コワーキングオフィスのようにもともと複数企業でのシェアを想定しているスペースだけでなく、自社ビルや本社も含めたあらゆるオフィスを共用し、時間単位で貸し借りするような時代がやがて訪れるようになるでしょう。

すでに具体例も出てきています。例えばヤフー株式会社は2016年10月にオープンした本社オフィスを、コワーキングスペースとして社外に開放しています。さらに2020年10月からはリモートワークの制限解除を行うとともに、本社の一部をグループ会社に開放して、業務に合わせて場所にとらわれない多様な働き方を推進しています。

また三井不動産株式会社は2021年1月、同社が公民学連携で街作りを推進している千葉県の柏の葉スマートシティ内にあるオフィス施設「KOIL TERRACE（コイルテラス）」において、ミーティングルームやコワーキングオフィスなどの共用部を利用した分だけ課金する、「Pay per use（従量課金制）」という新しいオフィスの契約形態を導入することを発表しました。

このような社会的共用の仕組みが広がっていくと、オフィスを所有・賃借することなく、あらゆる場所＝マルチロケーションで社員に仕事をさせることが可能になります。一方、利便性の高い都心の一等地に広大なオフィスを有している伝統的な企業は、有望なベンチャー企業に既存のオフィスを有償で利用させることで、不動産の新たな収益源を得るとともに、人的交流やビジネス連携を実現することを考え始めるでしょう。この新しいネットワーキングこそが、これからの時代にオフィスが担う価値となるのです。

ワークスタイルの未来：②
組織や地域の枠を超えるトライブ型ワーク

働き方の未来において予想されるもう1つの大きな変化は、時間とスキルの細分化によるマルチワークの浸透です。

私たちは仕事のキャリアを積んでいく中で、様々なスキルを身につけます。スキルの中には現在勤めている会社の外でも、高く評価されるものがあります。しかし勤務している会社の了承を得た上で、副業をしようとしたとき、オフィスに物理的にいなくてはならないことが、副業を始める高いハードルとなっていました。

しかし自宅をハブとしたマルチロケーションのワークスタイルが一般化すれば、場所の制約を受けずに仕事を切り替えることができます。さらに後ほど述べるように、時間の制約から仕事が解放されるようになれば、時間を細分化して、複数の仕事に配分することが可能となります。このようにマルチワークは仕事のマルチロケーション化がもたらす、1つの必然的な帰結であると言えます。そしてマルチワークの浸透は、1つの会社に忠誠を誓って一生を過ごす従来の働き方からの脱却を促すことになります。

バブル崩壊前の日本企業では新入社員を一括採用し、ジェネラリストとして育て上げ、終身雇用制度による雇用保障と定年後の老後資金を担保する、いわゆる「メンバーシップ型雇用」が採用されていました。一方、働き手も学校卒業から定年までを1つの会社で勤め上げ、組織人として「人生を捧げる」ことに違和感を持たない人が多かったと言えます。安定した生活を保障してくれる会社のため、社員が長時間労働も厭(いと)わないという2者の関係性は決して対等なものとは言えませんが、企業も社員も結局のところ満足していたのです。

しかし雇用が流動化して転職することが当たり前な時代が到来し、さらには独立した個人として複数の企業と同時に仕事をする未来が到来したとき、会社と社員の関係は、より対等で平等なものとなるでしょう。また会社のブランドやネームバリューよりも、仕事で身につけられる経験・スキルや、働くことを通して得ることができる生きがいや自己実現を求めるワークスタイルを選択するようになります。

新型コロナ禍は、こうした新しいワークスタイルへの変革を推し進めるきっかけとなると考えます。2020年7月にポート株式会社が行った調査では、新型コロナ禍を機に副業を開始した人が全体の40%を超え、それまでに副業をしていた人も含めると全体の約78％に及ぶという結果が出ています（図表13）。

また株式会社Another worksが20〜40代の男女約300人を対象に2021年2月に行った同様のアンケート調査においても、新型コロナ禍を契機に新たに副業を開始した人が全体の57・1％に上り、新型コロナ禍が落ち着いた後も副業に挑戦したい、または続けたいと答えた人も66・8％いるという結果になっています。

なお副業をしたいと考えた理由として、「本業以外の収入を得たい」という回答が圧倒的多数で第1位であるのは当然として、第2位に「自分のキャリアの可能性を広げたい」、第3位に「自分のスキルを本業以外でも活かしたい」が挙げられており、自分のキャリアとつながる副業を行いたいという傾向を見ることができます（図表14）。

電通の「100の問い」チームでは、マルチワークが一般的な世の中になると、仕事を選ぶ際の選択基準が会社のブランドではなく、どのような人と働きたいかに変わると予測しており、この新しい価値基準に基づく未来の働き方を「トライブ（部族）型ワーク」という言葉で表しています。

図表13：コロナ禍での副業

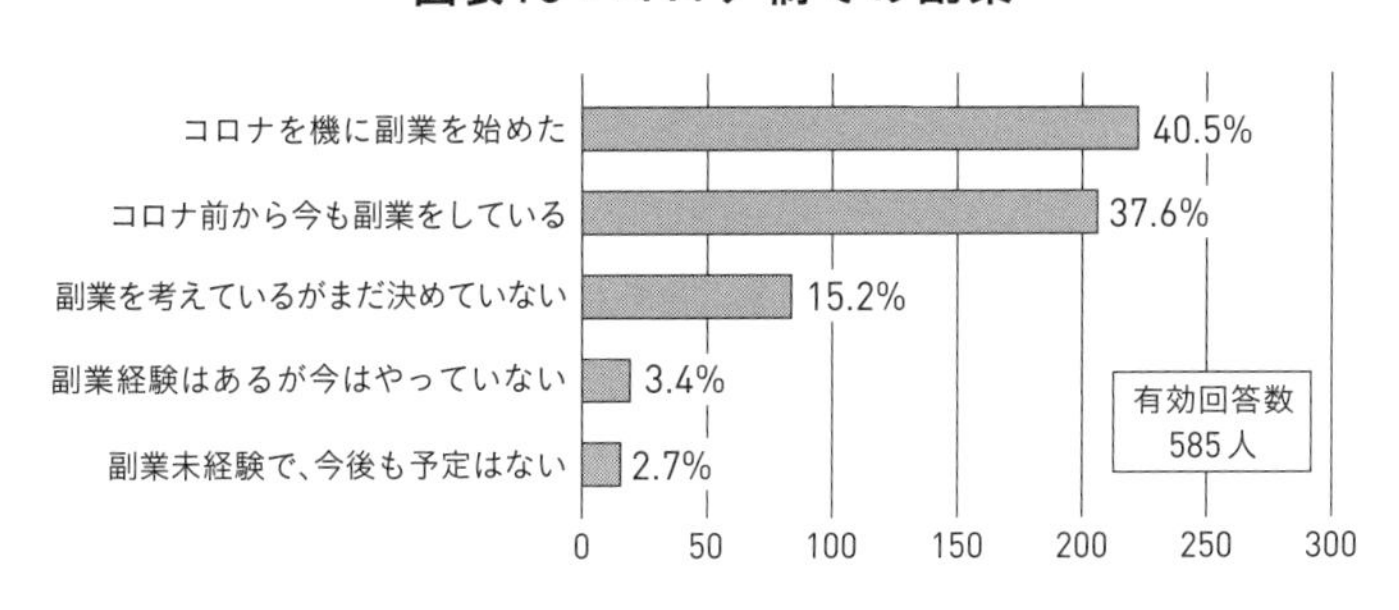

出所：ポートのアンケート調査より

図表14：副業を始めたいと考えた理由

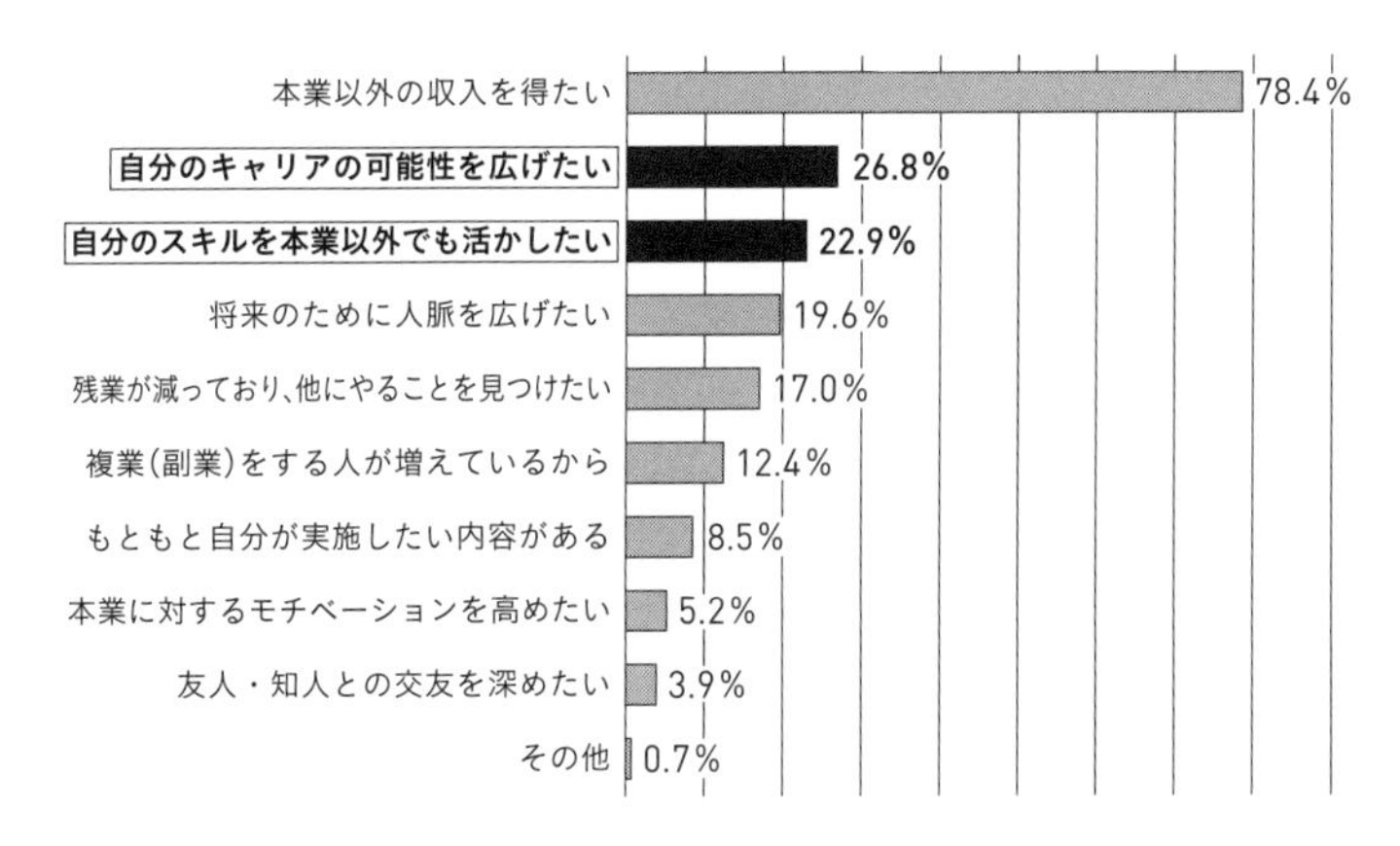

※複数回答

出所：Another worksのアンケート調査より

トライブ型ワークの特徴は同じ価値観や目標を有する人がつながって仕事をすることにありますが、その原型は昔の町内会のようなコミュニティに見ることができます。町内会で神輿(みこし)や山車(だし)を出すお祭りを行うとき、事前の練習や当日の準備・運営は、町内会メンバーがボランティアで協力して行うのが一般的です。

一方、すべてのことがボランティアで行われるのではなく、例えばお祭り中に出される飲食は、集められた町内会費等で支払われます。町内のコミュニティでは、このように日々の生活と仕事が不可分になっているのが大きな特徴です。

ポスト・コロナ社会におけるトライブ型ワークは、人が組織や地域の枠を超えて、リモートでつながる働き方を目指している点で、まったく新しい働き方であるように見えるかもしれません。しかし共に活動する人々との心理的なつながりの「強度」を大切にしながら仕事をしている点において、実際には、昔から存在する町内会のような、コミュニティに依拠した働き方と通底する価値観があります。それは、必ずしも売上や利益の多寡だけで意思決定を行わない働き方であるとも言えるでしょう。

トライブ型ワークでも、仕事でどれくらい報酬が得られるかは、もちろん重要な要素となります。しかしそれと同じくらい大切なのが、仕事にどれだけの楽しさや社会的意義を感じることができるかということです。地域に貢献できるとか、自分が働きたい人と働くことができるなどの仕事の内容によっては、ボランティアに近い仕事を請け負う場合もあるでしょう。

町内会の活動がそうであったように、その活動が仕事か否かということを報酬の有無で判断しなくなると、仕事と生活、さらには余暇の垣根が曖昧になり、日常生活のあらゆる活動が融合するようになります。

建築家の隈研吾(くまけんご)氏は以下のように述べています。

オフィスという箱の中に集まり、みんな並んで仕事をするスタイルが生まれたのは20世紀の初頭、つい最近のことです。それまで人が働く場所といえば、自宅とお店がくっついているなど、住むところと働くところが一体化した環境が主でした。それを踏まえて人類の歴史を振り返ると、箱の中に多くの人を集めて働かせる現代のスタイルは、かなり異常な形態であったのかもしれません。
本来ならテクノロジーの発展に合わせて、もっと違う進化もできたはずですが、私たちは「箱の中」にいる安心感や現状維持を好む惰性によって今日まで動こうとしなかった。

職住分離型の暮らしが20世紀のライフスタイル、ワークスタイルの特徴だとするならば、ポスト・コロナ社会は、ＩＴを活用して様々な地域とつながる職住一体型の暮らしを特徴とするのではないでしょうか。

ポスト・コロナの社会において、私たちが「働く」理由とは

新型コロナ禍を契機としたリモートワークの推進は、私たちの仕事を場所と組織から切り離し、自宅をハブとした「マルチワーク×マルチロケーション」の働き方を可能にしました。一方、テクノロジーやＡＩの進化は、クリエイティビティが求められる非定型的な仕事に、時間とリソースを集中させる方向へと向かわせています。

では、ポスト・コロナ社会において、私たちは働くことの価値をどのように捉え、また人生における働く意味をどのように位置付ければよいのでしょうか。

マルチワークのあり方について考える際に大事になってくるのは、どのような仕事をどのような時間配分＝ポートフォリオで行うか、さらにはどのような仕事を選び、あるいは選ばないのかということです。ここで大事になるのが、哲学者のハンナ・アーレントが示した、仕事を「有用性」と「有意味性」の視点で評価し、両者の適切なバランスをとることです。

「有用性」と「有意味性」について、アーレントは以下のように述べています。

（有用性と有意味性の）事柄の区別は、言葉の上では、「ある目的のために」（in order to）と「それ自体意味のある理由のために」（for the sake of）という区別として表現されるものである

「ある目的のために」というのは、仕事がもたらす結果に価値を見出し、どれくらい

社会的に有用であるかということを大事にする姿勢です。一方、「それ自体意味ある理由のために」とは、仕事の結果よりも、その仕事が自分の知性や精神にどのような影響を与え、どれくらい自分にとっての意味があるかを大事にする姿勢です。

わかりやすく言い換えると、有用性は自分が勤める会社や所属する社会が享受する価値であり、有意味性は社員自身が内面で享受する価値と言うことができます。

アーレントは有用性と有意味性を区別すべき概念として捉えていましたが、実際には両者は深い相関関係にあると考えられます。つまり、私たちは働くことの有意味性を感じられないとき、十分な有用性を社会にもたらすことができないのです。

心理学者J・リチャード・ハックマンと経営学者グレッグ・R・オルダムが理論化した「職務特性モデル」では、自分の仕事に意味があると感じることが私たちのやる気を生み出し、仕事に対する満足感や高い労働パフォーマンスを得ることを可能にすると定義づけています（図表15）。

仕事の有意味性の重要さを極限的な状況下で示しているのが、新型コロナ禍で話題になった、アルベール・カミュの『ペスト』（新潮文庫）という小説です。この小説

図表15：ハックマン・オルダムの職務特性モデル

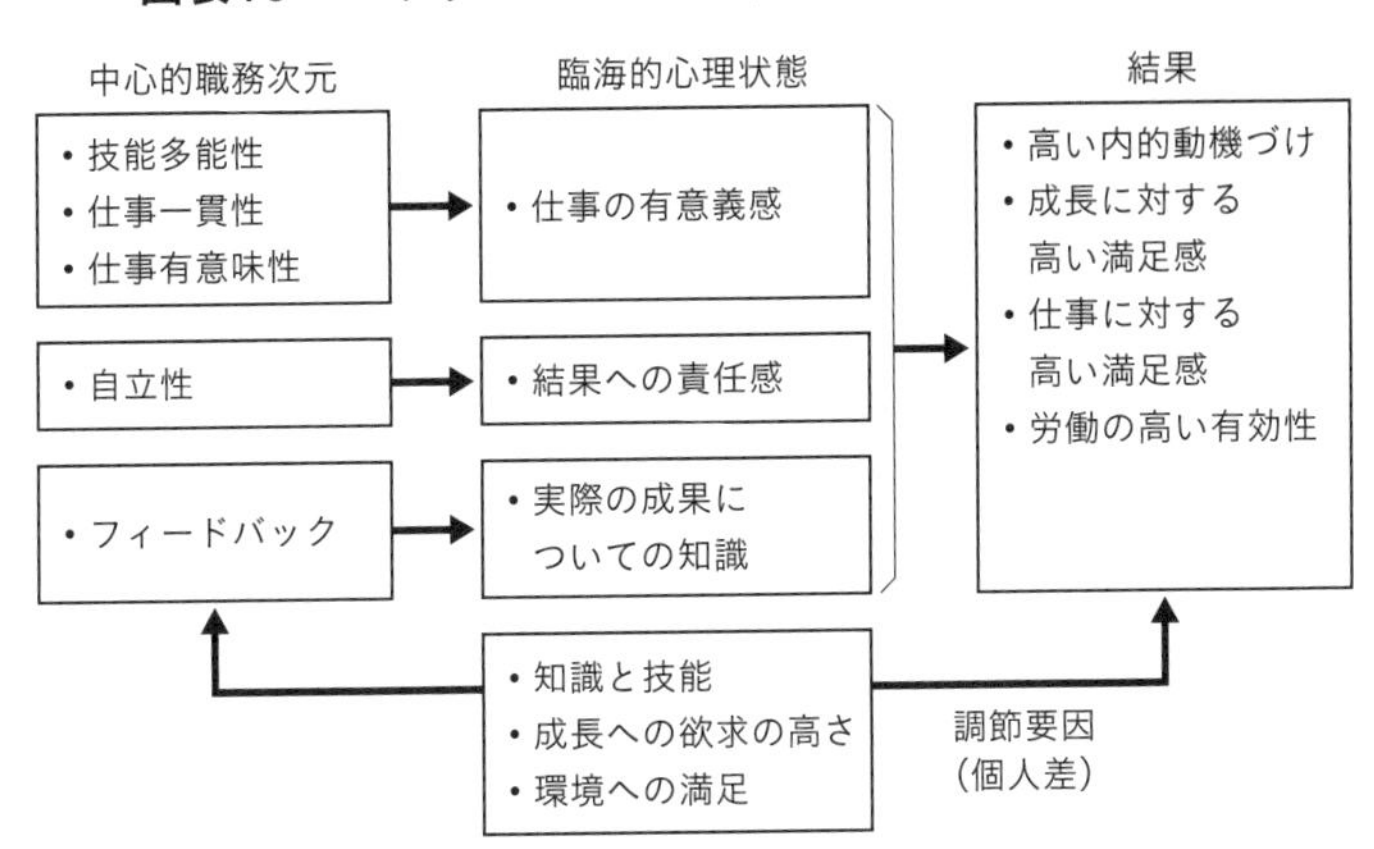

が人々の心に刺さったのは、小説の世界が新型コロナ禍に直面する現在の状況と酷似している中、医師として働く主人公のベルナール・リウーの考えや姿勢に人々が深く共感したからではないでしょうか。

リウーは、フランス領アルジェリアの港町オランに住む医師ですが、突然、町に発生したペストに向き合うことになります。治療がほとんど効かず、多くの人がただただ死んでいくところを見守りながら1日20時間働くリウーの状況について、小説ではこのように述べられています。

彼の役割はもはや治療することではないことを彼は知っていたのであ

る。彼の役割は診断することであった。発見し、調べ、記述し、登録し、それから宣告する——これが彼の務めであった。(中略)
「(ペストとの戦いは)際限なく続く敗北です」

しかしその一方で、リウーはこのようにも言います。

「子どもたちが責めさいなまれるように作られたこんな世界を愛することなどは、死んでも肯(がえ)んじません」

リウーが行っていた仕事は、ペストを治癒するという有用性には欠けていたかもしれません。しかし、リウーがその仕事に意味を感じていなかったかと言うとそうではなく、むしろリウーが、自分が治療を続けることの意味を問い続けていたことこそが、読者の共感を呼んだのではないでしょうか。

私たちが仕事を評価するとき、リウーのような極限下のケースを除くと、会社にとっての有用性と、社員である自分自身にとっての有意味性の双方のバランスを大事に

図表16：有用性と有意味性の軸で捉えた私たちの仕事

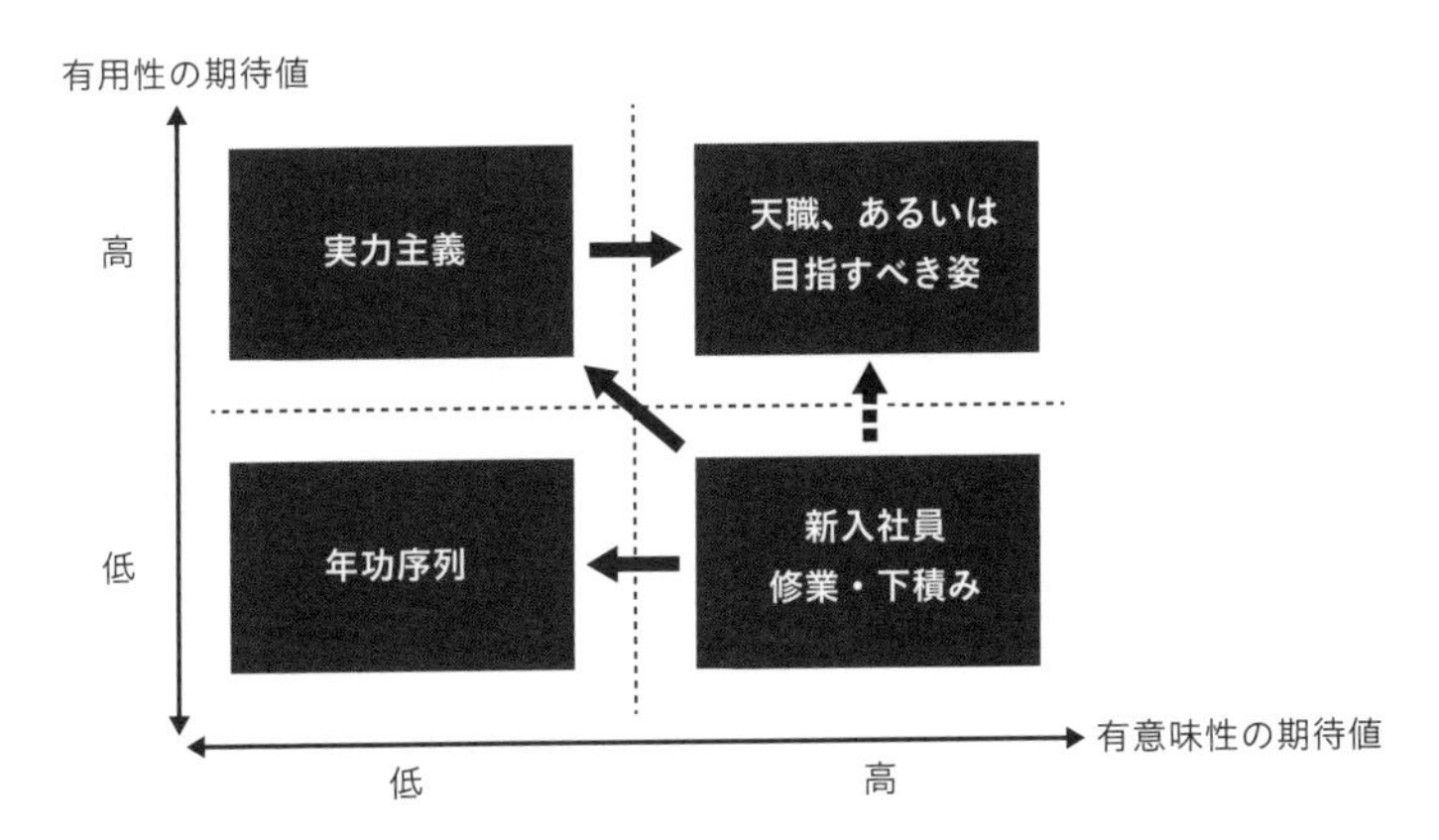

していると考えられます。そこで図表16のように、有用性と有意味性の2つの軸に対する期待値の大小で、私たちの仕事の捉え方を整理してみたいと思います。

まず、私たちが学校を卒業して、何らかの仕事に就くときについて考えてみます。入社後の修業・下積み期間は学びの多い時期であり、有意味性のウェイトが高い一方、会社・社会にとっての有用性はそこまで求められません。そこから修業を積んで一人前に仕事ができるようになると、有用性の評価が高まっていきます。しかし新しい学びが減ってくるため、有意味性の感覚を維持するためには、仕事への満足感や新しい仕事へのチャレンジなどの刺激が必要となります。

しかし高度経済成長期における年功序列型の評価制度においては、どれだけ仕事を頑張って価値を出しても、昇進スピードや給与面、あるいは選択できる仕事に関して、他の同期との差がほとんどないことが一般的でした。会社にとっては働き手が仕事に有意味性を感じることよりも、組織の秩序を乱さないことやあらゆる社員が会社への忠誠度を維持することを大事にする傾向が強くありました。また特定の職務に精通するスペシャリストよりも、様々な定型的業務を満遍なくこなせるジェネラリストの育成に重点が置かれていました。

その結果、働き手は仕事に有意味性を見出しづらくなり、所属する会社のブランド力や年功序列で得た役職が、有意味性を代替するようになります。さらには勤めている会社の社会的な価値をそのまま自分自身の価値や働く意味に置き換え、一心同体に捉える状況が生まれてきます。

しかしその後、バブルが崩壊して会社が社員を守れなくなってくると、勤続年数による評価から、どれだけ会社に貢献したかを数字で評価する実力主義へと移行していきます。この制度では、社員の有用性が偏重されるようになります。

会社にとってある社員が「有用」かどうかは、「個」としてどれだけ会社に売上、利益をもたらしたかで測られます。さらには営業管理ツールが導入されることで、売上という「結果」だけでなく日々の営業活動という「プロセス」までもが数値化され、個人の報酬に総合的に反映される仕組みがとられるようになります。

このような人事評価が一般的になっていくと、個人が仕事を選択する際、仕事がやりがいのあるものであるか、あるいは今後の自分の人生にどのような意味や影響を与えるものであるかといった定性的な価値よりも、自分が会社の売上をどれだけ向上させ、その結果として自らの年収をどれだけ増やせるかという定量的な価値を重視するようになります。

そしてこの傾向が広がっていくと、自身の有意味性を、本来は有用性の結果でしかないはずの年収の多寡によって判断するようになります。そのため、会社に利益をもたらすことができずに年収が下がり、自分の「有用性」が低くなったと感じると、「有意味性」も失われてしまうように感じ、アイデンティティクライシスに陥る人々も現れてくるのです。

また、自分の限られた時間をどの仕事に振り分けるかについても、個人の成長ではなく、会社にとっての有用性や、どれだけ稼げるかという視点で考えるため、新しいチャレンジを行うことは後回しになります。その結果、社会状況の変化により労働環境が急変したときに、対応ができなくなります。

今回の新型コロナ禍は、これまで常識とされてきたビジネスモデルが突然崩れる可能性があることを私たちに示しました。また今後もＡＩなどの技術進化によって自分の仕事が有用性を持たなくなることも予想されます。このような状況において、有意味性の価値を軽視し、有用性のみを過度に重視する現代の働き方の価値観は危険であると言えます。

私たちが未来の働き方において目指すべきなのは、有意味性と有用性が高い次元で両立した「天職」に就くことができている状態です。ポスト・コロナ社会において、私たちが恵まれた状況にあるのは、有意味性と有用性のバランスを保った1つの天職を見つけるのではなく、複数の仕事のポートフォリオでそのバランスをとればよくなったということです。

例えば、あなたが中堅のエンジニアとして会社に勤めて毎月の給料をもらいながら、将来、自分の飲食店を開店することを夢見て、知り合いの店で最低限の時給で修業していたとします。その際、本業と副業でもらえるお金の額や時間単価が大きく違っていても、有意味性という観点では、その軽重は逆転しているでしょう。このように複数の仕事で有意味性と有用性を補完することで、相対的な仕事に対する満足度を高めることができます。

ポスト・コロナ社会のワークスタイルにおいて大事にしなくてはならないのは、有意味性と有用性のバランスを実現するための「複業のポートフォリオ化」を行うことなのです。

ワーケーションは「仕事」と「遊び」を両立する

予測不能な労働の未来において、「複業のポートフォリオ化」を行い、仕事のクオリティを維持し、クリエイティビティを発揮していく上でカギとなるのが、Work form Anywhere at Anytime、すなわち、どこでもいつでも働くことができるという考え方です。

隈研吾氏はポスト・コロナ社会について、「一人ひとりが働き方、住む場所、コミュニティも含めて自分でデザインする時代が来た」と指摘しています。

あらゆる場所で仕事ができるということは、ワークライフバランスという概念そのものの見直しを企業と労働者に迫ることになります。すなわちマルチロケーションでの仕事が日常となった社会においては、どこでいつ仕事をして休暇を取るかという場所的・時間的な境目をつけること自体が、もはや意味をなさなくなります。私たち一人ひとりが働く場所と働く時間の最適化を行い、自分が最もパフォーマンスを発揮できるワークスタイルを会社に頼ることなく、自分でデザインする時代がやってきているのです。

ところで私たちが仕事のパフォーマンスを最大化しようとするとき、なぜWork from Anywhere at Anytimeが必要になってくるのでしょうか。例えば企業が有するオフィスの社会的共用が進み、どこでも仕事ができる未来が来たとしても、あえて自宅外のロケーションで働く必要はあるのか疑問に思われる方もいるでしょう。

実際、日本でリモートワークと言うと、自宅での仕事、すなわち在宅ワークが前提とされているケースがほとんどです。背景には就業規則などの制度的なものや、オフィスと自宅以外の場所で仕事をすることへの心理的なバリアがあります。

一方、海外の企業では、リモートワークの「リモート」を自宅に閉じない考え方が生まれてきています。例えば、全社員がリモートワークをしている企業として有名な米GitLab（ギットラブ）社は、リモートワークを以下のように定義しています。

"Remote" is the most common term to refer to the absence of a physical workspace, and being able to do a job from anywhere—at home with family, a coffee shop, traveling, or wherever is most comfortable and productive.

（意訳）「リモート」とは会社の物理的なワークスペースにいないことであり、最も快適で生産性の上がる場所であれば、どこででも（自宅で家族とともに、喫茶店で、あるいは旅行中に）仕事を行うことができることを意味している。

GitLab社は、リモートワークであるかどうかは「会社のオフィスの内か外か」で定義されるべきであり、オフィスの外にあたる場所が自宅を含めた日常生活エリアなのか、それとも自宅から離れた非日常エリアなのかで区別をしていません。したがって、オフィスの外の場所には休暇先・旅行先ももちろん含まれることになります。

では、なぜリモートワークは、from Anywhere（＝どこでも）であるべきと考えられるのでしょうか。それはオフィスの外での仕事が認められるようになると、仕事と余暇の関係性が変わり、その双方の効率性を最大化するためには、場所的な垣根を設ける必要がなくなるからです。

携わる仕事が1つであるとき、仕事と余暇はコインの表裏のような関係性で捉えられ、かつその場所はきちんと区別されていました。長期的な生産性を考えたとき、人を働きづめにせず、仕事はオフィスにいるときだけ行ってもらい、プライベートの場ではきちんと休息の時間を確保することで、継続的に高いパフォーマンスを発揮してもらうという考え方が成立したわけです。

しかし、リモートワークが推進されることで、仕事と休暇における場所の区分けも曖昧になってきます。在宅ワークでは、これまでプライベートの時間を過ごしていた場所を、仕事場所として利用するようになりました。また「マルチワーク×マルチロケーション」が一般的になると、ある会社の視点からは仕事をしていないように見える時間でも、社員にとって余暇の時間であるとは限らず、別の会社の仕事をしていることもあるでしょう。

このようにオフィス外での仕事を認めることは、単に仕事場所が変わる以上の意味を持ちます。仕事が私たちのプライベートな場に入り込んだとき、仕事とプライベートをきちんと切り替え、継続的にパフォーマンスを出していくためには、様々な状況に応じて最も効率性の上がる仕事場を選択できること、すなわち会社のオフィスや自宅だけに閉じないことが大事になるのです。

またマルチワークを行う場合、日々の時間を細切れにして、それぞれの仕事とプライベートの時間を割り当てなくてはならず、仕事とプライベートが混在すると、仕事の効率性が下がると考える方も多いでしょう。

しかし実際には、私たちの創造性＝クリエイティビティは、複数の仕事を行いつつ、日常生活や遊びを同時並行で行うことによって増すものであると考えています。仕事と日常生活が一体となると、普段から仕事のセンサーが働き、日常生活の何気ないことから新しいアイデアを見つけることができるようになります。また複数の仕事を同時並行で行っていると、まったく違う別の仕事から問題解決の糸口を見出すこともできます。クリエイティブディレクターの佐藤可士和（かしわ）氏は、インタビューの中で次のように述べています。

（依頼された仕事の対象の）本質をつかむためには、イスに深々と座って沈思黙考するようなプロセスを想像するかもしれませんが、はたから見ると普通に日常生活をしているように見えるでしょうね。でも、つねに頭のなかで本質を追究しています。それは、「考えている」というより「アンテナを立てている」という表現がしっくりきますね。

新しいプロジェクトが始まると、脳内に専用のスペースができて、そのチャンネルが常時開いている状態になります。その状態で、たとえばテレビで仕事に深く関連する業界のニュースが流れると聞き耳を立ててしまう。そうやって、つねになにかしら感じたり、考えたりしているうちに「これが本質ではないか」というのがじわじわとわかってきたり、「こういうことか」というひらめきがわいてきたり。「正解に近づいたな」と感じる瞬間は必ずありますね。

（中略）

僕の仕事にとっては、多種多様な案件が複数、同時進行しているのはアドバンテージ。本質をつかむためには、多様な視点から対象を見つめることが重要だからです。

複数の仕事を同時並行で進めていると、「あの問題とこの問題の根っこは同じだ」とか、いまの世の中の動きの大局がつかめてくるんです。いわば、小高い丘から大きな流れを見るような感覚。時代の空気がつかめていれば、まるっきり的外れな方向に進まないかなと思っています。

複数の仕事と日常生活、そして遊びを融合したライフスタイルは、オン・オフの切れ目がないため、疲弊してしまうのではないかと考える方もいるかもしれません。しかし生活と仕事の切れ目がなくなったとき、日常のあらゆる活動――お金を稼ぐためのものも、そうでないものも――を価値のあるものとして再評価することが、私たちの精神の健全性を維持する上でも大事になります。

働き方改革のコンサルティングを行っている池田千恵氏は、以下のように述べています。

「ワークライフバランス」の本当の意味とは「仕事と遊びを、どちらも同じ土俵に上げて、同じ視線で考える。それでこそ、仕事にも遊びにも創造力が発揮でき、人生が楽しくなる」ということではないかと思っています。

特に大切なのが、この仕事と遊びを同じ視線で考える姿勢です。現代社会において、遊びと仕事はこれまで対立する概念として捉えられてきた傾向があります。

フランスの社会学者であるロジェ・カイヨワはその著書『遊びと人間』（岩波書店）の中で、遊びを以下の6つの活動に該当するものとして定義しています。

①自由な活動――遊戯者が強制されない活動である
②隔離された活動――あらかじめ空間と時間が決められている
③未確定の活動――ゲーム展開が決定されていたり結果がわかっていてはならない
④非生産的活動――ゲーム内での財産の移動を除いてゲーム開始時と何も変わらない
⑤規則のある活動――ルールに従って行う
⑥虚構の活動――日常と比較して明確に非日常であるという認識のもとに行う

このカイヨワの定義に従って「遊び」という行為を捉えるならば、自由、非生産的、虚構の活動であるという点において、「働く」ことと相容（あいい）れないように感じるかもしれません。

一方、仏教の世界では、「遊び」という言葉を、一般的な意味とは別の文脈で捉えています。平安時代に後白河法皇が編纂（へんさん）した歌謡集である『梁塵秘抄（りょうじんひしょう）』には、以下のような有名な歌があります。

「遊びをせんとや生まれけむ　戯（たはぶ）れせんとや生まれけん　遊ぶ子どもの声聞けば　わが身さへこそ　揺るがるれ」

（遊びをしようとして生まれてきたのであろうか。戯（たわむ）れをしようとして生まれてきたのであろうか。無邪気に遊んでいる子供のはしゃぐ声を聞くと、大人である私の身体までもが、それにつられて自然と動き出してしまいそうだ）

この歌の「遊び」の仏教的な解釈について紹介します。仏教では「遊戯＝ゆげ」という言葉があり、「何ものにもとらわれずに自由自在なこと」を指しますが、何ものにもとらわれず行うこととは仏の救い、つまり人々の救済活動を行うことを意味するそうです。

仏教において「遊び」という言葉は、布教や修行、人々の救済などを行う際の「物理的・精神的な自由度」を指しているのです。

仏教的な「遊び」の解釈に立つと、「働く」ことと「遊ぶ」ことの間に明確なつながりを見出すことができます。つまり私たちが社会をよくするために自由な活動を行い、またそのことを通じて自分自身を成長させる行為こそが、「働くこと」で、かつ「遊ぶこと」であり、さらには生きることそのものなのです。そして物理的・精神的な自由を最も象徴するライフスタイル、ワークスタイルこそ、「働く」ことと「遊ぶ」ことを両立させたワーケーションではないかと私は考えています。

第3章

ワーケーションがクリエイティブな組織を創る

リモートワーク／ワーケーションの先進的事例：海外

本章では企業の目線から、ワーケーションの価値について考察します。現在、国内外の企業がどのようにリモートワークやワーケーションを取り入れているのか、いくつか具体的な例を挙げてみたいと思います。

まずは海外企業の事例について見ていきましょう。

先ほども紹介したGitLab社では、1200人以上いる全社員がリモートワークで働いています。社員は世界67カ国に分散しており、全社員の名前と肩書、職種、地域をウェブサイトで見ることができるようになっています。

先述したように同社のリモートワークは、在宅ワークもワーケーションも含む概念となっており、同社のホームページでは、リモートワークのためのガイド、マニフェスト、ハンドブックなどが公開されています。ここでは同社のリモートワークマニフェストについて紹介します。

●GitLab のリモートワークマニフェスト

①本社よりも、世界中で採用して世界中で働く
②労働時間を決めるよりも、柔軟な労働時間を
③口頭で説明するよりも、書面にして知識を記録
④オンザジョブトレーニング（ＯＪＴ）よりも、やり方を書面に
⑤知る必要があるときだけ教えるよりも、情報公開を
⑥ドキュメントをトップダウンで管理するよりも、誰でも編集できるように
⑦同期的なコミュニケーションよりも、非同期的なコミュニケーションを
⑧労働時間よりも、仕事の成果を
⑨非公式なコミュニケーションチャネルよりも、公式なコミュニケーションチャネルを

このマニフェストの中で特に重要な点が、オフライン・オンラインの会議よりも、書面でのやりとりを大事にするということです。タイムゾーンの異なる世界中の様々な人とコラボレーションするためには、ミーティングを第一義的な手段と考える発想から転換しなくてはならないことを示唆しています。

プロジェクト管理ツールを提供している米Basecamp社も、20年以上、リモートワークを採用している会社ですが、同社も書面などの非同期的なコミュニケーションツールを重視することで、リモートワークを効果的なものにしています。Basecamp創立者のデイビッド・ハイネマイヤー・ハンソンは以下のように述べています。

真のリモートワークへの移行には非同期コミュニケーションを重視し、日常的なビジネスの進め方を根本から見直す必要があります。これは、会議優先からライティングへのカルチャー移行の際に企業が直面する最も困難な点です。ほとんどの新規のリモート企業は、リモートとはZoomを使った会議への移行のことだと思っていました。しかしそれは一般的な会議よりもさらに悲惨な結果をもたらしたのです。リモート企業として成功するためには、非同期のライティング文化に移行する必要があるのです。

書面と言うと、メールやSlackのようなツールをイメージされる方が多いと思いますが、メンバー全員が正確な理解を行う上で最も有効なフォーマットは、ワード形式のコミュニケーションです。

ワード形式によるコミュニケーションを重視していることで有名な企業がAmazonです。Amazonでは社内書類におけるパワーポイントの利用を禁止し、その代わりに6ページにまとめられたワード文書で事業計画等を説明することが求められています。ジェフ・ベゾスはこのことについて、以下のように述べています。

Full sentences are harder to write. They have verbs. The paragraphs have topic sentences. There is no way to write a six-page, narratively structured memo and not have clear thinking.
（きちんとした文章を書くのは難しい。一文ごとに適切な動詞をつけ、段落ごとにその段落のテーマを指し示す見出しを書かなくてはならない。明晰な理解がないときちんとストーリー仕立てで構築された6ページの文書を書くことは不可能だ）

パワーポイント資料では、図表等を利用することが一般的です。しかし図表を中心とした資料は、見る人によってどうしても認識のギャップが生じやすく、すべての人が同じ理解をするとは限りません。一方、簡潔に要点が書かれた文章については、意味するところを取り違える可能性は低くなります。また、書いた本人がその内容をきちんと理解して、論理的に構成できているかも、すぐにわかります。

先ほどご紹介したBasecamp社でも、文書によるコミュニケーションの価値について以下のように述べています。

Internal communication based on long-form writing, rather than a verbal tradition of meetings, speaking, and chatting, leads to a welcomed reduction in meetings, video conferences, calls, or other real-time opportunities to interrupt and be interrupted.
（会議、会話、立ち話など伝統的に行われてきた口語形式中心の社内コミュニケーションを文書形式中心のものに変えることで、私たちの仕事をリアルタイムかつ相互に妨げる機会を減らすことが可能となる）

Writing solidifies, chat dissolves. Substantial decisions start and end with an exchange of complete thoughts, not one-line-at-a-time jousts. If it's important, critical, or fundamental, write it up, don't chat it down.

（書くことは思考や意思決定を固めることに役立ち、会話はそれを溶解させる。実質的な意思決定は、1行ごとのやりとりではなく、考えていること全体を理解することから始まる。会話で収めるのではなく、書き上げることは、重要で、クリティカルで、基礎的なことである）

すべての業務をリモートワークで行っている企業は、非常に先進的なビジネスプロセスを採用し、あらゆることを最新のツールで済ませる印象を持たれるかもしれません。しかし、実際にはすべてのことをオンラインかつリモートで進めても問題が起きないようにするため、きちんと文書化し、管理することを大事にしているのです。

このようにリモートワークやワーケーションを行う際は、リアルかバーチャルか、同期か非同期かといったことを意識してコミュニケーションをとることが大切です。また後ほど詳述しますが、対面、オンライン会議、メール、チャット、書面など様々なインターフェース（接面）を使い分け、その使い分けのルールを企業側が設計する姿勢が大事になってきます。

リモートワーク／ワーケーションの先進的事例：国内

次に、国内のリモートワークやワーケーションの事例を紹介したいと思います。最初に紹介したいのが、先ほども紹介した日立製作所の取り組みです。

同社では1999年から在宅勤務制度の導入を開始しており、新型コロナ禍を受けた2020年4月7日の第1回目の緊急事態宣言発令後は、社会機能を維持するために出社せざるをえない業務以外は原則在宅勤務とし、全社の平均在宅勤務率は約7割に上ったと言います。

さらに2021年4月からは、在宅勤務を標準とした働き方に移行すると発表しています。この在宅勤務制度では、自宅やサテライトオフィスでの勤務が可能となり、利用回数の制限は設けていません。また仕事内容や成果をもとに等級や報酬を決める人事制度の整備も進めるそうです。

同社では在宅勤務だけでなく、ワーケーションに関する実証も進めています。ワーケーションは、家族やゆかりのある地域とつながりを深めることができるため、豊かな人生を送る「働き方の選択肢の一つ」として、2019年7月には北海道・知床(しれとこ)の斜里町(しゃりちょう)にて「地域活性化型テレワーク」を実施し、地方における在宅ワークの有効性を検証しました。

実証実験に参加したメンバーの気づきとしては、「ストレスから解放され、業務生産性が上がった」「新しい価値観に出会え、自身の過去の働き方を見直すことができた」といった意見が挙げられています。さらには地域住民や自身の家族、ビジネス関係者などとの多種多様なコミュニケーションの促進、ビジネスアイデアの創出などにもつなげられ、ワーケーションの可能性を強く感じたとしています。

日本航空株式会社（JAL）も、いち早くリモートワークやワーケーションを推進してきた企業です。同社の特徴としては、申請理由を問わず、また育児や介護を行っている社員等に限定することなく、全社員を対象としている点が挙げられます。2014年度に在宅制度のトライアルをスタートしてから少しずつ改善を重ね、2016年度には自宅以外の喫茶店などでの業務を認め、現在のリモートワーク制度となりました。毎年、制度の利用者数も増加し、2018年度は年間約1万2000人の利用があったということです。

2017年7月からは、休暇期間中のリモートワークでの業務を認めるワーケーション制度を導入しました。なおワーケーションの申請手続きについてはリモートワークと基本的に同じにすることで、利用者のハードルを下げるという工夫がされています。

また役員もワーケーション制度の利用促進を図るべきだという観点から、北海道斜里町、福岡県福岡市、沖縄県那覇市などのリゾート地で実際にワーケーションを体験し、役員会もリモートのオンライン会議で実施したと言います。さらに2019年5月からは、出張先で休暇を取れる「ブリージャー」（ブレジャー）を導入したり、2020年秋からは、国内5地域で新しい働き方の効果を検証する取り組みを始めるなど、積極的な活動を行っています。

三菱地所株式会社は地方で展開するコワーキングオフィスを活用した様々な働き方

を提唱しており、自身の取り組みを以下のように定義づけています。

三菱地所では「ワーケーション」を、休暇ではなく、「Work の質を高め、様々な ation を生み出す働き方」と定義し、イノベーションを起こすための新しいワークスタイルとしてご提案します。

働く場所を非日常空間（Location）に変えることで、普段生まれないコミュニケーション（Communication）が生まれ、新しいアイデアが創造される（Innovation）。その結果、チームメンバーのモチベーション（Motivation）がさらに向上し、社内に良い循環を生み出す。

人を、会社を、社会を、元気づける新しい働き方です。

同社は2019年に和歌山県の南紀白浜、2020年に長野県軽井沢でワーケーションオフィスを開業しています。これらの施設は企業のプロジェクトチームの合宿などの短期利用から、中長期利用への対応も検討しているとのことです。

ここまで海外企業と日本企業におけるワーケーションの様々な事例を紹介しました。

日本企業の場合、仕事と休暇はきちんと区別されるべきだという暗黙の認識をもとに、「本来、休暇を過ごす場所でいかに仕事を行うか」という視点でワーケーションが設計されているように思います。また、ワーケーションは日常業務を行う際に、例外的・限定的に認められるものであり、平常業務に組み込まれるものではないと捉えているようです。

そのためワーケーションの取り組みが通常のビジネスプロセスに与える影響は限定的で、ワーケーションを推進するためのオペレーション改革を行うといった意識は少ないように感じます。

一方、海外企業ではワーケーションを含めたリモートワークを日常とすることを前提にビジネスプロセスを設計しています。オフィスでも自宅でも、あるいはワーケーション先でも、どこでも変わらずに仕事ができ、パフォーマンスを発揮できる仕組みを構築していることが日本企業との大きな差となっていると考えます。

日本でも外資系企業においては、先進的なワーケーションの取り組みを採用している企業があります。それは、イギリス・ロンドンに本拠を置く世界有数の一般消費財メーカーであるユニリーバの日本法人、ユニリーバ・ジャパン・ホールディングス株式会社です。

ユニリーバ・ジャパンでは2016年から新人事制度「WAA(Work from Anywhere and Anytime)」を導入し、平常時からリモートワークを無制限に行うことを可能にしています。制度の概要は次のようになります。

・上司に申請すれば理由を問わず、会社以外の場所（自宅、カフェ、図書館など）で勤務できる
・平日の6～21時の間で自由に勤務時間や休憩時間を決められる
・全社員が対象で、期間や日数の制限はない

また2019年7月からは全国6つの自治体と連携し、ユニリーバ式のワーケーション「地域 de WAA」を導入しています。具体的には自治体と連携し、その地域の施設を「コWAAキングスペース（コワーキングスペース）」としてユニリーバ社員が無料で利用できる仕組みを作っています。

さらには自治体の指定する地域課題解決に関わる活動に社員が参加することにより、提携する宿泊施設の宿泊費が無料、または割引になる仕組みを構築し、拡大しようとしています。

ワーケーションが企業にもたらすメリット

国内外の先進的な企業の事例から理解すべきなのは、新型コロナ禍による大きなパラダイムシフトによって、新しい働き方への第一歩がすでに踏み出されているということです。時代の変化に乗り遅れることなく新しい仕組みを作り出していく企業こそが、より優秀な人材を採用し、より競争力のあるオペレーションを構築することができるのです。

ただ、そうは言っても、ワーケーションあるいはリモートワークが、どのような経済的利益やブランド価値の向上につながるかがわからないという方も多いでしょう。

そこで、企業がリモートワークやワーケーションを導入する具体的なメリットについて考えてみたいと思います。

①オフィス維持や通勤に関わる「コストの削減」

企業のリモートワーク導入のメリットとしてまず挙げたいのが、オフィス維持や通勤に関わるコストの削減です。仮に社員のリモートワーク手当を支給したとしても、オフィスを縮小することができれば、総額としての出費を削減しつつ社員に対する価値を向上できるようになります。

例えば、2020年12月時点での東京都千代田区丸の内・大手町の貸しオフィスの坪単価相場は月4万円前後となっています。1人あたりのオフィス面積は8・55平米＝約2・5坪となるため、仮に社員数が100人とすると、オフィスの維持に必要となる毎月の固定費は光熱費や警備費等を除外しても、4万円×2・5坪×100人＝1000万円となります。

また、日本人の1カ月の平均的な通勤定期券代は約1・5万円となりますので、100人で150万円／月となります。オフィスを維持して、通勤費用を支給するだけで、社員1人あたり月11・5万円も支出しているわけです。

仮にオフィス面積を3分の１にして社員の定期券代を廃止し、その代わり、ＩＴ通信費や月に数回程度の通勤費、さらにはワーケーション費用として自由に使えるお金を１人あたり月5万円支給したとします。それでも、月々の出費は単純計算で約８３万円となり、ワークプレイスの自由度を高める一方で3割近くのコスト削減を実現することができます。

②ＳＤＧｓの取り組みとしての「社会的貢献」

ワーケーションは企業によるＳＤＧｓの推進という観点においても、大きな価値を有します。ＳＤＧｓは２０１5年9月の国連サミットで採択されたもので、国連加盟１９３カ国が２０１６～２０３０年の15年間で達成するために掲げた17の大きな目標と、１６９の具体的なターゲットで構成されています。

ＳＤＧｓの17の目標のうち、例えば8番目の、「すべての人のための持続的、包摂的かつ持続可能な経済成長、生産的な完全雇用およびディーセント・ワーク（働きがいのある人間らしい仕事）を推進する」ことを目的とした「働きがいも経済成長も」

という目標では、「2030年までに、若者や障害者を含むすべての男性及び女性の、完全かつ生産的な雇用及び働きがいのある人間らしい仕事、並びに同一労働同一賃金を達成する」（8・5）、「2030年までに、雇用創出、地方の文化振興・産品販促につながる持続可能な観光業を促進するための政策を立案し実施する」（8・9）といったターゲットが掲げられています。企業のワーケーション推進はこれらの目標の実現に大きく貢献すると考えられます。

また11番目の、「都市と人間の居住地を包摂的、安全、強靭かつ持続可能にする」ことを目的とした「住み続けられるまちづくりを」というターゲットでは、「2030年までに、大気の質及び一般並びにその他の廃棄物の管理に特別な注意を払うことによるものを含め、都市の一人当たりの環境上の悪影響を軽減する」（11・6）というターゲットが掲げられています。これについてもリモートワークを導入することで、日々の通勤減少、環境負荷の低減を企業として訴求できる可能性があります。

ちなみに『ウォール・ストリート・ジャーナル』によると、新型コロナ禍による人の移動減少、工場の停止、交通渋滞の解消により、サンフランシスコの二酸化窒素レベルは20世紀前半以来の低さになったと言います。

また米ノートルダム大学のパオラ・クリッパ氏らによる研究では、新型コロナ禍の初期に、感染拡大を抑えるために中国とヨーロッパでとられたロックダウン（都市封鎖）の措置の結果、大気汚染が改善され、数万人の命が救われたとする結果が報告されています。

③緊急事態に備えるための「レジリエンス（Resilience）」

ワーケーションが企業にもたらす価値として最後に挙げたいのが、レジリエンスの視点です。レジリエンスとは、様々な環境・状況に対しても適応し、生き延びる力を指します。２０１１年の東日本大震災の際、企業の事業継続性（ＢＣＰ：Business Continuity Plan）をいかに担保するかの議論が活発になりましたが、今回の新型コロナ禍は改めてその重要性を企業に突きつけたと言えます。

ワーケーションを推進することは、ＢＣＰの観点から見て、２つの大きな意義があります。１つ目は、ワーケーションやリモートワークを実現するために行われるビジネスプロセスのＤＸ推進が、災害時の業務継続をより容易なものにするということです。あらゆる業務プロセスがオンライン化され、必要な文書がクラウド上に保存されれば、仮に本社オフィスが災害の被害にあったとしても、業務を継続できる可能性が高まります。

2つ目は、社員の物理的な分散によるリスク軽減です。Work from Anywhere at Anytime のワークスタイルを採用する企業では、オフィスから通勤圏内という物理的制約を考慮しなくてもよくなります。

仮に東京・丸の内にオフィスがあったとしても、北海道から沖縄まで日本全国、さらには海外でも仕事を行うことが可能となります。その結果、オフィス周辺が自然災害等によって大きな被害を受けたとしても、人的な被害や業務への影響を最小限に抑えることができるのです。

以上のように、リモートワークやワーケーションは、企業が優秀な人材の確保とコスト削減を両立させ、自らの社会的責任を果たし、災害リスクの備えともなる、多方面で価値をもたらす取り組みなのです。

ワーケーションに対する懸念：①
社内コミュニケーションと帰属意識

ここまで先進企業の事例やワーケーション導入のメリットについて紹介してきましたが、日本企業の多くは実際のところ、ようやく在宅ワークとしてのリモートワークに取りかかり始めた段階にあります。そこで、企業がワーケーションに対して懸念を抱く代表的な要因について1つずつ取り上げ、考察を加えたいと思います。

企業が社員のワーケーション、あるいはその前段となるリモートワークを好まない理由として、会社のオフィスから物理的に離れることによるコミュニケーション不足と社員の帰属意識の低下があります。

高度経済成長期からバブル崩壊前まで、日本企業における働き方は、年功序列と終身雇用のシステムをベースとして考えられてきました。誤解を恐れずに言うならば、それは働き手が会社へのコミットメントを誓う代わりに、会社が雇用と老後の安心を約束する仕組みであったと言えます。

会社へのコミットメントはオフィスにいる時間の長さや、雨が降ろうが槍が降ろうが就業時間に間に合うようにオフィスに来るといった場所と時間への従属関係で測られ、ときに働き手の仕事のスキルや成果よりも重要な意味を持っていました。

会社に属するという概念や本業・副業の捉え方が大きく変化している今も、仕事をする＝会社のオフィスにいるという前提は、社会の中に根強く残っています。

ただし、社員がオフィスに来ることに会社がこだわるのも、理由がないわけではありません。米マサチューセッツ工科大学（MIT）教授のトーマス・J・アレンは、1970年代に、「物理的な距離とコミュニケーションの頻度には、強力な負の相関的な関係がある」ことを証明しました。

彼の研究結果では、席の近い同僚（約1・8メートルの距離にいる人）と、席の遠い同僚（約18メートルの距離にいる人）では、コミュニケーション量に4倍の差が生じたと言います。そしてフロアや建物が別になると、さらに連絡をとり合わなくなるという結果が出されています。この距離とコミュニケーションの負の相関性は、「アレン曲線」と呼ばれています。

一方、今日ではメールやテレビ会議など、距離に関係なく誰とでも密にコミュニケーションがとれるため、アレン曲線は成立しないと反論される方もいるかもしれません。しかし米コーネル大学ＩＬＲスクールのバネッサ・Ｋ・ボーンズ准教授の研究結果によると、物理的に同じオフィスで働いているエンジニアは、別々の場所で働いているエンジニアと比べて、デジタルツールで連絡をとり合う確率が20％高いことが明らかになっています。

また緊密なコラボレーションが必要な場面において、同じオフィスのエンジニアがメールをやりとりする頻度は、オフィスが異なる場合の4倍だったと言います。デジタルツール全盛の現在のビジネス環境においても、アレン曲線は成立しているのです。

私が勤務していたＩＢＭは他社に先駆けて在宅勤務のリモートワークを始めており、２００９年には社員の約40％が在宅勤務をしていました。しかし２０１７年には、この制度を利用していた社員に、オフィスに戻って勤務するようにという指令が出されました。これも、デジタルツールを活用したリモートワークよりも、会社のオフィスに人を集めてリアルなコミュニケーションを大事にするワークスタイルの方がよいと判断されたのです。

その一方で、企業は新型コロナ禍を契機に、リモートワークへのシフトを強めています。例えばアメリカのTwitterやSquareは「永遠に」社員の在宅ワークを認めると発表し、Facebookも会社の半数のメンバーは、5～10年以内にリモートワークにするとしています。

では、過去に在宅ワークを推進したＩＢＭが最終的には会社勤務重視の方針へと戻ったように、在宅勤務やリモートワークのトレンドもまた一時的なもので終わってしまうのでしょうか。

ここで、ＩＢＭなど初期のリモートワークの取り組みがなぜうまくいかなかったのかについて考えてみます。初期のリモートワークがうまくいかなかった最大の要因は、仕事を行う場所が自宅に限られ、就業時間が決められていたため、「どこでも、いつでも働く」という理念からはかけ離れていたことが原因だと考えられます。

長年、リモートワークについて研究を行っている米ハーバード・ビジネススクールのプリスウィラージ・チョードリー教授は、「リモートワーク＝Work from Homeという企業の認識を根本的に変える必要があり、大切なのはWork from Anywhere、すなわち社員がワーケーションも含めて自分の働く場所を選択できることが重要だ」ということを述べています。

実際、ワーケーションを行うことは、会社に対する帰属意識を高めるという実証結果も出ています。2020年6月に株式会社NTTデータ経営研究所、株式会社JTB、JALが連携して沖縄県のカヌチャリゾートで行ったワーケーション実証では、自宅から離れたリゾート先で仕事をすることで、仕事の生産性が上がり、メンタルの改善につながるだけでなく、組織に対するコミットメントも12・6％向上し、社員の帰属意識が高まることが証明されました。

またワーケーションによってもたらされた仕事のパフォーマンス向上は、ワーケーション終了後1週間も持続しており、残存効果があったことがわかっています。適度にWork from Anywhere at Anytimeを取り入れることはアレン曲線には影響を与えず、むしろ会社に対する帰属意識を高めることがわかったのです。

もう1つ、ＩＢＭの取り組みがうまくいかなかった要因として、リモートワークを支えるテクノロジーが未熟であったことが挙げられます。ＩＢＭがリモートワークを推進し始めたとき、オンラインでの会議や作業を行うのに十分なネットワークを外出先で確保することは難しい状況にあり、コワーキングオフィスも現在ほど整備されていませんでした。その結果、リモートワークとは必然的に、ネットワーク環境が整備された自宅での仕事を意味していたわけです。

しかし現在は喫茶店などでもフリー Wi-Fi が整備されるようになり、スマートフォンのテザリングでのオンライン会議も可能になって、どこでも仕事ができる環境が整備されています。自宅で仕事をする際に適用されるリモートワークのルールや手順をリゾート地でも適用していくことで、ワーケーションでも普段と変わらず仕事を行うことが可能となるのです。

そして Work from Anywhere at Anytime の働き方が実装されるようになると、Live Anywhere、すなわち、どこでも暮らすことができるというライフスタイルが可能になります。リモートワークやワーケーションからさらに一歩進んで、ライフステージの変化に応じて両親・親族の家の近くに居住したり、気候のよいリゾート地に移住したりといったことも可能です。

在宅で働きたいときもあれば、会社で同僚と顔を合わせたいときもある。そしてたまには地方に出て気分を変えて仕事をしたいといった、多様なニーズを満たす仕組みが整えられていることが、働き手が企業に求める新しい価値となります。

企業もこの変化を敏感に捉え、オフィスにいることを社員の帰属意識の表れとするのではなく、マルチロケーションで働くことができる環境を整えることが会社の競争力を高め、優秀な人材を呼び寄せる源泉になると認識することが重要です。

ワーケーションに対する懸念：②
仕事のパフォーマンスとクオリティ

どこでも、いつでも働くことを可能にしたとき、オフィスワークと同等、あるいはそれ以上のパフォーマンスやクオリティを社員が発揮できるかは、企業にとって大きな懸念事項となります。リモートワークのうち、企業が在宅ワークのみを認める場合、仮にオフィスでの作業よりも若干効率性が落ちたとしても、出勤率の抑制によりオフィスを縮小し、経費を削減できれば効率性とコストのトレードオフで評価することができます。また、出社が必要なときには、必要に応じて会社に社員を呼び寄せることも可能でしょう。

一方、ワーケーションで社員が地方やリゾート地に勤務することを認める場合、労務管理や災害時の緊急対応に対するハードルが上がり、また心理的な距離も感じるなど、在宅ワークよりもマイナスの面が目立つようになります。その結果、企業のワーケーション導入に関わる心理的ハードルを下げるためには、仕事のパフォーマンスやクオリティが目に見える形で向上したり、優秀な人材を確保しやすくなるといった明確な動機づけが必要になってきます。

社員にとっても状況は同じです。Work from Anywhere at Anytime の仕組みが勤務している会社で導入されたとしても、在宅ワークで十分と考え、仕事のクオリティや効率性が上がらない限り、あえてワーケーションを行う意義を見出せないと考える人も多いでしょう。

では、ワーケーションを行うことで仕事のクオリティや効率性を上げることはできないのでしょうか。

株式会社OWNDAYS（オンデーズ）の田中修治社長は、「アイデアの量は距離に比例する」ということをブログで以下のように述べています。

人間は環境に支配される生き物だ。移動した距離に比例して、景色が変わる。人が変わる。食べ物が変わる。話す言葉が変わる。気温が変わる。文化や風習が変わる。常識が変わる。遠くに行けば行くほど全てが大きく変わるのだ。

そして元いた場所に戻ってくると、自分の今立っている場所では常識だから絶対に変えてはいけないと信じて疑わないでいたことが、意外と簡単に変えても大して問題のないことだと思えたりする。

そんな変化を沢山経験しているうちに、脳みそが刺激され活発になっていくから、自然とアイデアが湧いてくるのだろう。

遠くの場所を訪れたとき、その土地の何気ない光景や空気感に刺激を受けて、視野が広がったり、新しいアイデアにつながるヒントを得る経験をしたことがある人は、多くいるのではないでしょうか。

日常生活においても新しい人に出会ったり、住んでいる街に新しいショップがオープンするなど様々な刺激があるはずなのに、移動を伴ったときの方が体験の鮮度が増し、新しいアイデアを誘発しやすいのはなぜなのでしょうか。

実は距離の感覚はクリエイティビティに大きな影響を与えることが、研究の結果から明らかにされています。心理学者リル・ジアらが行った実験では、数十人の学部生をランダムに2つのグループに分け、それぞれに、思いつく限りの交通手段を挙げるよう求めました。

その際、1つのグループには、この課題はアメリカを離れてギリシャで学ぶ米インディアナ大学の学生が考案したものだと告げ、もう1つのグループには、地元インディアナ州で学ぶインディアナ大学の学生が考案したものだと告げました。

どこの学生が考案した問題かという、無関係に思える情報が実際には被験者の成績に顕著な違いをもたらすことになりました。結果として、ギリシャで考案されたと教えられたグループの方が、思いついた交通手段の数が多かったのです。課題が遠くで考案されたと聞いた被験者たちは、地元の交通手段にとらわれることが少なくなり、インディアナ州の中だけでなく、世界中を動き回ることについて考え始めたと言います。

2度目の実験では、解答を導き出すのにひらめきを要する問題を解かせたのですが、ここでも、インディアナ州ではなく約3200キロメートル離れたカリフォルニア州で考案された問題だと聞かされた被験者の方が、問題解決の成績が格段に高かったと言います。

「距離がある」という感覚を持つことで、被験者たちははるかに幅広い選択肢を検討するようになり、問題解決能力が高まったのです。

このテストは、解釈レベル理論（Construal Level Theory：CLT理論）をベースとしています。CLTとは、距離の認知が人間の考え方に大きな影響を及ぼし、「距離的に遠く感じられる」物事ほど、抽象的に思考するようになるという考え方です。

つまりCLTは、日常生活を送っている場所との物理的な距離感をイメージするだけで、新しい視点を持ちやすくなることを示しています。

このように考えると、ビジネスで抱えている課題の解決策を見出したい、あるいは新たなイノベーションをもたらしたいというとき、ワーケーションを行い意識的に移動を取り入れることで、仕事のパフォーマンスとクオリティを高めることが期待できます。

ワーケーションに対する懸念：③孤独感とストレスマネジメント

すべての従業員がWork from Anywhereを実践すると、社員同士がリアルに会う機会がほとんどなくなり、孤独や心身のストレスを抱えるのではないかという懸念が生じます。

オムロンヘルスケア株式会社は2020年4月に、20～50代のリモートワークをしている男女1024人を対象に「テレワークとなった働き世代1,000人へ緊急アンケート」を実施しました。この調査では、新型コロナ禍による、急速に進むリモートワークと外出自粛によって、人々がどのような不調を抱えているのかについてアンケートを行っています。

その結果によると、「リモートワーク中になんらかの不調を感じている」人は全体の31・0％であり、そのうち61・3％の人が「精神的なストレスを感じている」という結果が出ました。また不調の度合いについては、34・9％の人が「精神的なストレスが重度である」と回答し、1・0％の人が「ストレスを理由として病院に通院した」と回答しています。精神的なストレス以外にも睡眠不足や肩こりや腰痛など、様々な不調を訴える人がリモートワークを機に増加しています。

その他、2020年9月に『月刊総務』が全国の総務担当者に行ったアンケートにおいて、新型コロナ禍における社員のメンタル不調の要因について尋ねたところ、

「テレワークによるコミュニケーション不足・孤独感」が60・0％で最も多く、「外出しないことによる閉塞感」(56・5％)、「新型コロナウイルス感染への不安感」(54・9％)といった項目が上位に来る結果となりました。またテレワークの方が社員のメンタルケアが難しいと思うかについて尋ねたところ、「はい」が73・3％、「いいえ」が26・7％という結果になりました。

人は孤独を感じると、集中力や判断力が低下し、睡眠の質も悪化して、疲労感が増すと言われています。アフリカの諺には、「急いで行きたければ、1人で行くといい。遠くまで行きたければ、いっしょに行くことだ」というものがあるそうです。

社員が長い年月にわたり高いパフォーマンスを維持することを会社が期待する場合、できればリモートワークのような孤独を感じやすくなる状況を避け、会社と社員、あるいは社員間のつながりを確保したいと考えるのは至極当然だと思います。しかし実際には、このような視点は、現在の会社と社員の関係においては賞味期限切れとなっており、新しい形の信頼関係が必要になると考えます。

「マルチワーク×マルチロケーション」の働き方が一般的になることは、単に社員の仕事のやり方が変わるだけではなく、会社と社員とのつながり方が根本的に変わることを認識する必要があります。

社員が1つの会社に帰属して、年功序列や終身雇用といった制度が社員の生活の安定を保障していた時代では、社風に馴染まない、あるいは上司や同僚とソリが合わないといった少数の例外を除けば、社員は会社という組織とオフィスという場に帰属意識を感じていました。

しかし新しいワークスタイルに移行して、多様な仕事を抱えるようになると、一つひとつのつながりは物理的にも時間的にも必然的に薄まることになります。そうすると、自分はどことも「つながっていない」という感覚に襲われるようになり、社員の孤独感へとつながります。

この状況から脱却するためには、会社と社員は新しいワークスタイルを前提に、より成熟した新しい関係性を築いていく必要があります。そこで参考にしたいのが、イギリスの精神分析家であるドナルド・ウィニコットが唱えた、「移行現象」と「移行対象」という考え方です。

ウィニコットは、幼児が母親に依存している状態から、母親の外部にある独立した存在へと移行する状況を「移行現象」と呼び、その移行の際に幼児の拠り所となる対象物を「移行対象」と呼びました。

漫画『ピーナッツ』（スヌーピー）を読んだことがある方は、登場人物の1人であるライナスが、毛布を肌身離さず持っているのをご存じでしょう。このライナスの「安心毛布」（この言葉は心理学用語として認められています）は、移行対象の典型的な例とされています。

幼児はこの移行対象と「遊ぶ」ことを通して自他の境界を明確にし、現実世界を受容するようになります。なお、この移行現象が起きる領域は、内界（心的世界）でも外界（客観的世界）でもない「中間領域」、あるいは「第3の領域」であると言われ、場所的・時間的に違う「場」であることが重視されています。

マルチロケーション×マルチワークを前提とする社会を実現するためには、会社と社員が擬似的な親子関係となって相互依存している状態から、独立した関係へと変わる「移行現象」が必要であると言えます。私たちがスムーズな移行を果たすためには、

「第3の領域」において移行対象と「遊ぶ」場を意識的に設けることが必要です。

そしてこの「第3の領域」で「遊ぶ」という役割を担うのが、ワーケーションです。会社がワーケーションという非日常の場所での仕事をビジネスプロセスの中に意識的に組み込むことで、社員との新しい関係性を構築し、双方にとって新しいワークスタイルへの一歩を踏み出すことができます。また社員は会社との過度なつながりの喪失による孤独感を克服し、自立した存在となるとともに、ワーケーションで得た創造性をもって、会社に貢献することができるでしょう。

ワーケーションに対する懸念：④公平・公正な成果管理と人事評価

あらゆる業務がリモートワークになったとき、組織のマネージャーにとって大きな懸念事項となるのが、どのようにして部下の仕事の成果を測定し、評価するかということです。

古い時代を振り返ってみると、例えばフレデリック・W・テイラーによる「科学的管理法」では、工場での作業についてノルマを設定し、その達成状況で労働成果を測る手法をとっていました。工場に行かなければ仕事ができず、成果は完成品の数量や不良品率といった目に見える形で評価されるため、仕事の成果の判断も明快であったと言えます。

現在も営業職などは、売上の数字等で成果を把握できる部分が多く、一連の活動を見える化する営業管理ツールも充実しているため、リモートワークにおける人事評価は十分可能であるようにも思います。

一方、最近の人事評価制度では、業績だけでなく勤務姿勢や社内外との人間関係なども含めて総合的に評価されることがトレンドとなっています。上司だけでなく同僚や部下からの人事評価が指標となる「360度評価」は、典型的な例と言えるでしょう。

そのため、リモートワークやワーケーション中の業績を、数字に表れない仕事ぶりも含めてどのように評価するかは、大きなポイントとなります。

まず多くの企業が気にするのが、リモートワーク下にある社員が就業時間中にサボっていないかを、どのように判断するかではないでしょうか。人材シンクタンクの株式会社パーソル総合研究所が新型コロナ禍の２０２０年４月に実施した調査では、テレワーカー本人に12項目の「テレワークの不安」について、質問を行っています。テレワークについて１項目以上、何かしらの不安を感じると回答した人は64・３％に上り、項目別に見ると、「非対面のやりとりは、相手の気持ちが察しにくく不安だ」が39・５％、「上司や同僚から仕事をさぼっていると思われていないか不安だ」が38・４％で上位に挙がっています（図表17）。

一方、上司層にも同様に９項目で有無を聞いたところ、75・３％が何かしらの不安があるとの回答があり、そのうち「部下が仕事をさぼっているのではないかと思うことがある」は40・０％となっています。

このような不安が生じる要因は、時間をベースとした会社の労務管理のあり方にあります。つまり、仕事の成果を挙げているかどうかではなく、定められた就業時間内

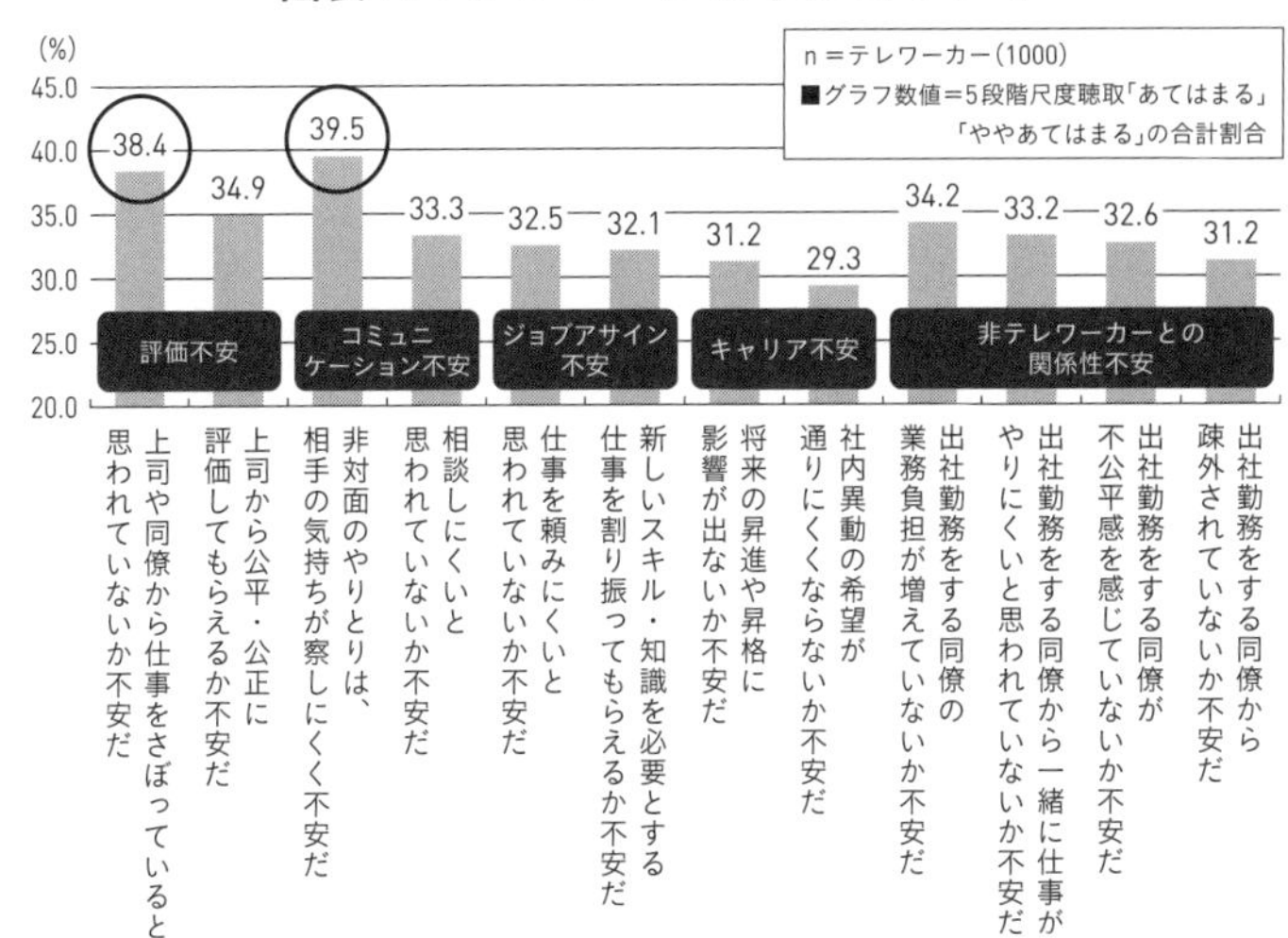

出所：パーソル総合研究所のアンケート調査より

は、１００％の時間を会社の職務遂行にあてているかを管理しようとすることから問題が生じるわけです。

　実際、新型コロナ禍の緊急事態宣言時には、リモートワーク期間中のＰＣ稼働時間を測ったり、極端なケースではオンライン会議を立ち上げっぱなしにして、仕事をしている状況を常にモニタリングする企業もあったようです。

　しかし就業時間内に、会社に物理的に拘束された状態を仕事をしていると見なす考え方は、そろそろ変えるべきでしょう。

企業が新しいワークスタイルを導入した際、適切な成果管理と人事評価を行うためには、仕事を時間ではなくタスクで管理し、そのタスクが決められた期限までに完了したかどうかで成果を判断する、いわゆる「マイルストーン管理」への移行が必要となります。

マイルストーン管理型の仕事についてわかりやすくイメージしてもらうため、ワイシャツの洗濯をクリーニング店にお願いするケースで考えてみましょう。仮にお店の店主から、クリーニングされたワイシャツは1週間後に受け取ることができると告げられたとします。このとき、自分の洗濯物をクリーニングする時間は平日の9〜17時の間でなくてはならないと要望したり、毎日クリーニングの進捗（しんちょく）について報告してくれとお願いする人はいないでしょう。あなたが1週間後にクリーニング店に行ったときにワイシャツがきれいになっていればよいわけであって、いつ、どのようにそのクリーニングを行ったかは問わないわけです。

これと似たような方式で仕事が管理されているのが、コンサルティングファームです。例えば戦略策定やコスト削減のコンサルティングプロジェクトを行う場合、クライアントの勤務時間に合わせてクライアントの目の前で作業を行ったり、毎日の進捗報告をすることはありません。その代わり週次の定例ミーティングを設定して、1週間でやるべきことがきちんと進捗したかを報告していくわけです。

成果に対して評価を行うため、それが1日8時間の活動によって得られたのか、4時間の活動によって得られたのか、またその時間がいわゆる就業時間内だったのか否かは基本的に問われません。

コンサルティングファームでは、人事評価の仕組みも特徴的です。コンサルタントは一般の企業と同様に社内で特定の組織に所属し、その組織を束ねるマネージャーが直接の上司となって、人事評価も行います。

一方、仕事はプロジェクトベースで行われますが、プロジェクトリーダーが自分の組織上の上司であるとは限らず、上司が部下のプロジェクトにまったく関与していないケースも稀(まれ)ではありません。そのため人事評価を行う際には、上司やチームメイトだけではなく、実際に仕事で関わった人々（クライアントおよびプロジェクトのリーダー、メンバー）に評価してもらう仕組みが導入されています。

このような組織の枠を超えた360度＋顧客からの評価に基づく人事評価システムを採用することで、オフィス勤務、リモートワーク、さらにはワーケーションといった勤務場所にかかわらない働き方においても、会社への貢献度を「見える化」し、適切な業績管理を行うことができます。

また仕事をタスクやマイルストーンで管理する場合、ジョブ型雇用の導入を併せて検討することも効果的でしょう。これまで日本の新卒採用などで取り入れられてきた仕組みは、メンバーシップ型雇用と呼ばれています。メンバーシップ型雇用とは、就労者の潜在的なポテンシャルを重視して社員として雇い、ジョブローテーションによって幅広い職種を体験させ、終身雇用を前提にジェネラリストを養成する雇用形態です。この雇用形態で採用された社員は、仕事に就く「就職」より、会社に入って命ぜられた仕事をする「就社」に近い意識を持つようになると言えるでしょう。

一方、ジョブ型雇用とは、職務・勤務地・労働時間・報酬などを明確に定めた「職務記述書（ジョブディスクリプション）」をもとに、雇用契約を締結する労働形態です。

社員の年齢や勤続年数は関係なく、その人自身の実力・スキル・成果が重要視され、公平・公正に評価をすることができます。

以上述べてきたように、働き方の変化に合わせて人事評価の仕組みや採用の考え方も変えていくことで、リモートワークやワーケーションを効果的に実施することができるようになるのです。

ワーケーションに対する懸念：⑤労働時間の管理

リモートワークやワーケーションを業務に組み込もうとするとき、多くの企業で問題となるのが労働時間の管理です。

リモートワークやワーケーションのメリットを最大化する上で大事になってくるのが、勤務時間の融通性を高めることです。例えばタスク管理型の労働管理を採用し、始業時間と終業時間を定めない方式をとれば、社員は日中を家事や家族の世話、あるいは観光などにあてて、夜を労働時間に活用するなど様々な働き方ができるようになります。

一方、このように就業時間の自由度を高めた場合、労働時間をどのように管理するのかという課題が生まれてきます。

一般的な会社では、1日8時間、1週間40時間の法定労働時間を守った労働時間制による労働管理が主流となっています。固定労働時間制では、始業時間と終業時間、休憩時間などが就業規則で定められ、始業時間の前や、終業時間の後に労働すると、時間外労働として割増賃金を支払わなければなりません。

この固定労働時間制に対して最近増加しているのが、フレックスタイム制や裁量労働制です。フレックスタイム制は1日単位で労働時間を定め、その労働時間を守っていれば、何時に出社あるいは退社しても大丈夫というルールです。フレックスタイム制を採用している企業の中には、必ず会社にいなければいけない「コアタイム」を設けているところもあります。

一方、裁量労働制は労働時間よりも、能力や成果物に対して評価をする制度です。

この制度では、あらかじめ会社と働き手の間で働く時間数を定め、その労働時間分は働いたと見なす「みなし労働時間制」という仕組みを採用しています。ただ現状の法制度では、裁量労働制であっても労働基準法に反する労働時間の超過は認められておらず、また裁量労働の適用対象も設計者や技術者など法律が認めた一部の業種に限られています。

リモートワークやワーケーションが普及して、多様な働き方が増えてくるにつれて、企業もより時間の自由度の高いワークスタイルを制度設計していくことが大事になってくるでしょう。また、コンサルタント契約で一般的に採用されている時間単価の仕組みが、どのように適用できるかについて検討することも重要となるかもしれません。

コンサルタントがクライアントと契約を結ぶとき、プロジェクトに参加するメンバー一人ひとりの1時間の稼働あたりの単価をクライアントに示します。その上で、各メンバーがどれくらいの時間をそのプロジェクトにかけるかについて、クライアントとあらかじめ合意します。ジュニアメンバーの場合は、時間単価が低く、1つのプロジェクトに労働時間の100%をあてることが一般的です。一方、マネージャー以上になると、複数のプロジェクトを掛け持ちしている場合が多く、時間単価が高額なことから、1つのプロジェクトに対する労力を20～50％程度に設定するケースが多く見られます。

このような仕組みを一般的な会社でも採用して、1つの仕事にどれだけの労力をかけるのか会社と合意し、擬似的な請負関係を結んでいくことが、就業時間にとらわれない働き方を実現する上でのカギとなってくるかもしれません。

もし、ある仕事を実行するのに必要となる標準時間を定義することができれば、過剰労働の問題を回避し、社員の実績に対する適切な評価も行いやすくなります。そしてこうした柔軟な労働時間の管理はリモートワーク、さらにはワーケーションの推進へとつながり、社員の会社に対する魅力度も増すことになるでしょう。

政府もまた、労働時間の管理について、現状に即した法制度の検討が必要となってきます。政府の規制改革推進会議における「働き方の多様化に資するルール整備に関するタスクフォース」が2019年5月に出した提言では、労働者が複数の会社で複業している場合、雇用主に労働時間の通算義務を求めないこと、一定の条件下においｌ

て深夜労働への割増賃金を適用除外とすべきではないかといったことが述べられています。

ワーケーションに対する懸念：⑥労災・リスク管理

オフィス外での労働を認める際に企業が抱える大きな懸念の1つに、自宅やリモートワーク先で事故にあった場合、どこまでを労災で適用するかということがあります。

労災は、業務上あるいは通勤途上での災害（前者を業務災害、後者を通勤災害と言います）における保険給付と定義されます。労災と認められるためには、災害が起きた際の業務遂行性と業務起因性の2点が満たされていることが必要です。業務遂行性と業務起因性とは、具体的には以下を意味します。

業務遂行性：労働者が労働契約に基づいて事業主の支配管理下にある状態であること
業務起因性：労働者が受けた被害が業務に起因するものであること

では、在宅ワークやワーケーションの最中に災害にあった場合、労災は認められるのでしょうか。例えば自宅での勤務時間中、トイレに行くため作業場所を離席した際に転倒してケガをしたという事案では、業務災害が認められるとされています。トイレや水分補給、作業場所内での歩行や移動行為は、業務に付随する行為と考えられているからです。

一方、仕事の合間に洗濯物を干したり、食事の支度や子供の世話などをしていてケガをした場合は、業務遂行性や業務起因性のない私的行動と捉えられるので、業務災害として認められません。

しかしプライベートな場所で災害にあった場合、どこまでが仕事で、どこからがプライベートか、白黒をつけるのが難しいケースも多いでしょう。

もう1つ、リモートワークやワーケーションの労災において、論点となるのが移動中の災害です。普段の業務において、会社のオフィスに決められた通勤ルートで出退社する際や出張に行った際に事故にあった場合、業務遂行に付随する行為と見なされ労災が適用されます。

しかし一般的には必ずしも会社にまっすぐ出社して、まっすぐ帰るわけではありません。出社前に朝活をしたり、退社後にスーパーやコンビニに寄って買い物をしたり、あるいは知人と食事に行くこともあります。このようなとき、労災はどのように認められ、あるいは認められないのでしょうか。

労働者災害補償保険法第7条3の規定によると、勤務帰りにコンビニに寄って食料を買う程度の行動は労災として認められるのですが、例えば仕事帰りに恋人や友人と食事に行った際に災害にあった場合は、労災適用から除外されることになります。

このように労災が適用されるケースと適用されないケースを見ていくと、普段のオフィスと家の往復でも、仕事とプライベートは複雑に絡み合い、労災が適用されるかどうかはケースバイケースで判断されるものであることがわかります。

ワーケーションでは、仕事とプライベートの区分けがさらに難しいものとなります。観光庁が2020年12月に作成したワーケーションのパンフレットでは、移動に伴う労災に関する基本となる考え方が記載されているものの、但書（ただしがき）で個別案件ごとの判断が必要となる旨が述べられています。この曖昧な状況がワーケーションに対する企業の過度の規制を生んでいるように思えます。その結果、ワーケーションの仕事先が企業によって指定され、指定場所以外での仕事は認められないといったことが生じるようになります。

しかしここで見失ってはいけないのが、ワーケーションの本来の目的は、業務の効率性を高めることにあるという点です。会社が休暇先の過ごし方をもガチガチに縛るようになれば、ワーケーションの効果は半減します。したがって、どこまで社員側の裁量を認める必要があるのか、慎重に議論を行っていくことが重要となります。

なお海外企業の場合、ワーケーションは休暇を尊重する形で制度設計されています。その結果、ネットワーク環境やプライバシーの確保などの基本的な条件をクリアしていれば、好きな場所を選んで仕事を行うことが可能です。さらには、1カ所にとどまらず別の場所に移動することや海外旅行先さえも、ワーケーションの対象となります。

どのような仕組みにするかによって、意義や効果も大きく異なってくるのに、労災の定義が困難であるという理由だけで自由なワーケーションを認めないのは、とてももったいないことです。リモートワークやワーケーションのメリットとリスクを天秤（てんびん）にかけたとき、どのようなときに労災を認めるべきか、あるいは認めないかについて、企業と社員が協力し合いながら実行可能なプランを立てることが重要です。

そして、そのときに大事になってくるのが会社の社員に対する姿勢です。つまり、社員が仕事をしているか否かを「監視する」立場をとるのか、それとも「信頼する」立場をとるのかは、これからの労務管理のあり方を考える上での大きなポイントになるでしょう。明文化されたルールや規則が、適切な雇用関係を成立させる上で重要であることは言うまでもありません。しかし、会社と社員がより対等でwin-winの関係を築いていくには、目に見えない価値、例えば相互の信頼や共感をいかに醸成していくのかが大事になってくるのではないでしょうか。

第4章

ワーケーションが地方を再ブランディングする

過疎化と空き家増加に悩む地方自治体の現状

ここまで、個人および企業にとってのワーケーションの価値について考えてきましたが、本章では、受け入れ先である地域にとってどのような効果がもたらされるのかについて考察します。

日本の人口が減少する中、地方自治体にとって交流人口や関係人口の創出は喫緊の課題となっています。そのような状況のもと、新型コロナ禍によって都市部から地方への移住の志向が高まり、ワーケーションなどの取り組みが増えてきたことは、地方自治体にとって大きなチャンスになることが考えられます。

高度経済成長期以降、日本の都市化は首都圏のみへの人口一極集中を招くことになりました。東京圏（東京都、神奈川県、埼玉県、千葉県）は国土面積において全体の約3・6％しか占めていないにもかかわらず、全人口の約3割にあたる約3600万人が居住しています。また名目県内総生産の合計（2017年度）は、約186・4兆

図表18：都道府県別・消滅可能性都市の比率（福島県を除く）

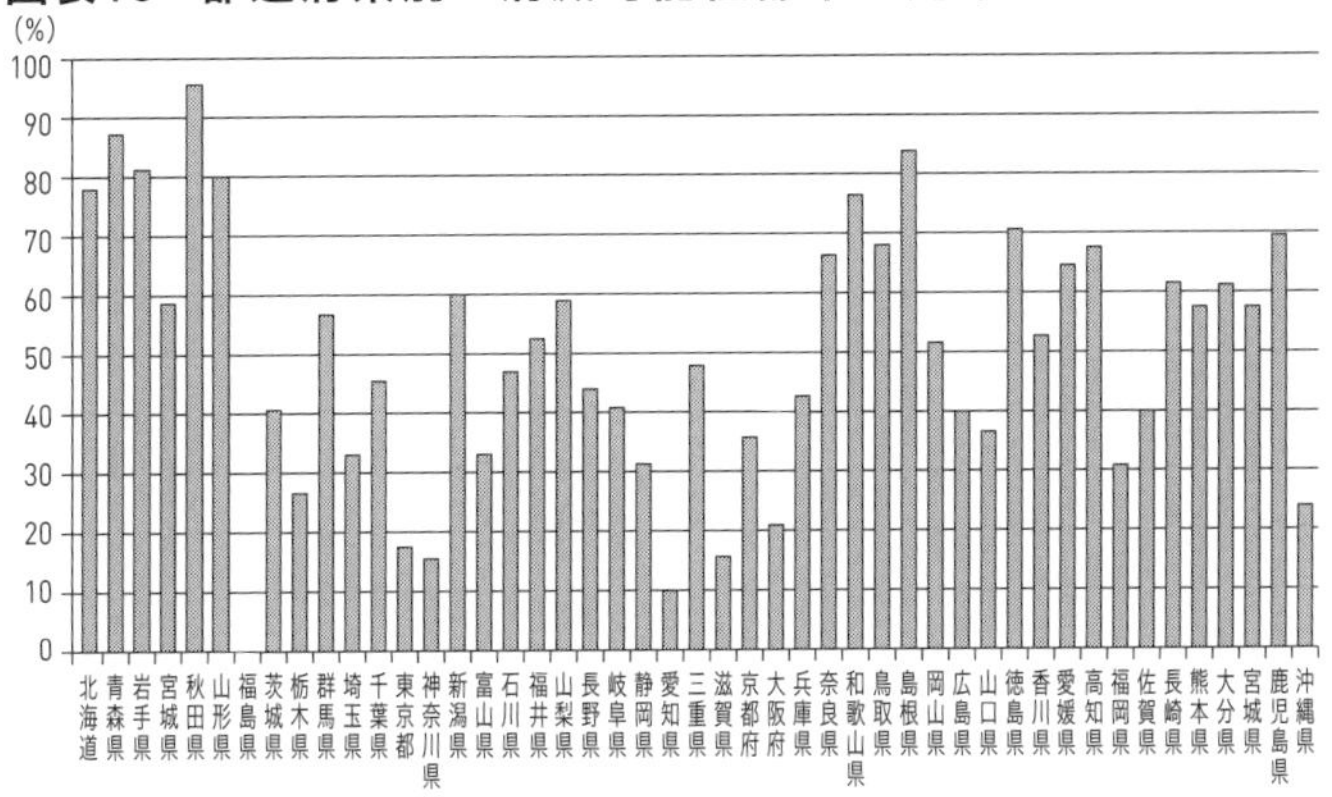

出所：国立社会保障・人口問題研究所（2018年）「日本の地域別将来推計人口推計」より

円で、日本全体の総生産の3分の1以上を占めるに至っています。

　一方、日本の総人口は少子高齢化に伴い、2008年をピークに減少に転じています。総務省「住民基本台帳に基づく人口、人口動態及び世帯数」に基づいた2015～2017年のデータによると、全国1741自治体の中で人口が減少した自治体は、1411自治体（80％超）に上ります。

　また民間シンクタンクの日本創成会議が2014年にまとめた報告書では、地方からの人口流出のペースが変わらないと仮定した場合、2010～2040年の30年間に人口の「再生産力」を示す20～39歳の若年女性人口が50％以下に減少する市区町村は、約１８００自治体の49・８％にあたる８９６市区町村になると試算されています。これらの自治体は「消滅可能性都市」と名づけられており、秋田県は大潟村を除いたすべての自治体、青森県、島根県、岩手県も80％以上の自治体が「消滅可能性都市」に該当すると考えられています（図表18）。

人口減少に伴う空き家の増加も顕著です。２０１８年に総務省統計局から発表された「住宅・土地統計調査」で県別の空き家率を見ると、最も高い山梨県と次に高い和歌山県では、20％を超えていることがわかります。そして最も空き家率が低い沖縄県と埼玉県でも空き家率が10・２％となっており、１割を超えています。

ワーケーションが関係人口創出のカギとなる

過疎や空き家の増加に悩む自治体・地域の問題を解決する最も直接的な方法が、移住人口を増やすことです。しかし人口が減少している中、限られた人口のパイを取り合うことは容易ではありません。そこで次善の策として考えられるのが、交流人口や関係人口を増やすことです。

交流人口の典型例は、仕事で訪れる出張客や観光客です。しかしこれらの移動人口、特に出張需要は今後大幅に縮小していくことが予想されます。

日本政策投資銀行（DBJ）が2017年に行った調査によると、2016年の国内旅行・観光全体の市場規模は約21兆円で、そのうち出張目的の日帰り・宿泊旅行は約3・7兆円で約18％を占めています。

しかし将来の人口減少や、テレビ会議やウェブツール等の代替手段の普及を考慮すると、2030年は2015年と比較して、市場が15％縮減するとの推計が出されています。しかもこれは、新型コロナ禍前の調査であることを考えると、新型コロナ禍により、出張しなくても大丈夫なビジネス環境が実現されたことで、出張旅行市場の縮小はさらに加速すると予想されます。

法人向け出張手配・管理サービス「マイナビBTM」が2020年3月に行った「第2回 新型コロナウイルス感染拡大による影響調査」では、予定していた出張に影響があり、中止・延期した人が全体の66・1％に上りました。第1回目の緊急事態宣言が発令される中での状況とは言え、影響が甚大であったことがわかります。

また株式会社ＨＩＳが２０２０年６月に発表したレポートによると、「オンライン会議の活用によって、今後出張頻度がどのように変わると思いますか？」という質問に対して、約６割が出張は減る傾向にあると回答、特に「小売・卸売業」「製造」「不動産」「サービス業」の出張が減るという傾向が明らかになっています。

なお出張がオンラインに置き換えられる業務分野として、国内・国外ともに「社内会議」が第１位となる一方、「顧客訪問・商談」も国内旅行の第３位（37・4％）、国外旅行の第２位（41・6％）に挙げられ、国内外を問わずオンラインへ移行していきます。

株式会社イノーバが行った「新型コロナウイルスの感染拡大後のマーケティング活動への影響調査アンケート」でも、各企業の特に効果のあったマーケティング施策として、第１位に「オンラインセミナーの活用」、第２位に「オンライン商談の導入・強化」が挙げられています。こうしたオンライン化への流れは、コスト削減の観点からも、新型コロナ禍が収まった後も継続していくでしょう。

また、観光旅行に対する意識も、新型コロナ禍の影響により今後変化していくことが予想されます。この大きなきっかけとなるのが、長年にわたって続いていた東京都市圏への人口一極集中からの変化です。

総務省の「住民基本台帳人口移動報告」によると、第1回目の緊急事態宣言発令後の2020年5月、外国人を含めて集計を始めた2013年以降、東京都で初めて転出超過となりました。6月にはいったん転入超過に戻ったものの、7月以降は8カ月連続で転出超過が継続しています。

この変化の背景には、リモートワークの普及と通勤回数の減少により、都心部よりも低コストでより広い居住環境を得られる場所への志向が高まったことが挙げられます。ただし現状、東京都からの人口の受け入れ先となっているのは、東京23区に隣接する3県（神奈川県、埼玉県、千葉県）です。都心部と同じ家賃でより広い土地や床面積を確保でき、都心オフィスへの通勤も可能なエリアへの転出が増えているのです。なお2020年12月の転入超過第1位は埼玉県となっています。ただ今後、リモートワークが常態化すれば、さらに居住エリアは都心部から離れていくでしょう。

居住エリアが郊外に広がることによって、観光需要は大きく変化します。具体的には、パーソナルモビリティ＝自動車、バイク等の保有率の上昇と、新型コロナ禍を契機とした遠距離移動の忌避から、近隣へのマイクロツーリズムが増加すると考えます。

マイクロツーリズムとは、遠方や海外への旅行ではなく、自宅から1～2時間圏内の地元や近隣への短距離観光を行うことを指します。株式会社星野リゾート代表の星野佳路（よしはる）氏はマイクロツーリズムを提唱して、遠方からの一見客（いちげんきゃく）の獲得に力を入れるのではなく、その地域に近い場所に居住する人をリピーターとして誘客する方針を打ち出しています。

ちなみに、この傾向は日本に限らないトレンドとなっています。2020年5月に実施したAirbnbのアンケート調査では、アメリカの半数以上の調査対象者が、次の旅行は「日帰りのドライブ旅行を希望する」と回答しています。また、新型コロナウイルスの感染拡大以来、アメリカでは1回の給油で往復移動が完結するおよそ32

0キロメートル圏内の旅行を予約する人の割合が増加したと言います。

都市の中心部に居住する人口が周辺部に流れ込み、パーソナルモビリティを移動手段として活用して、居住圏の近隣エリアで休暇を過ごす流れは今後も継続するでしょう。特に都市部近郊の観光地やリゾート地においては、これまでのように非日常の体験を売りにする戦略から、近隣に居住するリピーターを獲得するため、現地での日常生活の体験価値を訴求する戦略へと方針転換する必要があります。

地域を訪れる目的が観光にある場合、どれだけ距離的に近かったとしても、その頻度はせいぜい年に1〜2回となるでしょう。また自宅から近隣にあるエリアであれば、あえて宿泊せずに日帰り旅行で済ませてしまうケースも多いと考えられます。しかしその地域の日常に体験価値があり、自身の生活の一部として組み込むようになれば、訪問の頻度や滞在時間もグッと上がることになるでしょう。そして地域の体験価値を上げる際に、最も手軽で効果的な手法が、ワーケーションを行うためのインフラを整備し、訴求することなのです。

ワーケーションに訪れる人は、仕事と休暇の両方をその地域で行うことから、必然的に地域に滞在する期間が長くなる傾向があります。本来は自宅から日帰りの距離にある場所も、ワーケーションであればそのまま宿泊する可能性が高くなるでしょう。さらにワーケーションでは、これまでの国内旅行では取り込みが難しかった平日の旅行客を呼び込むことも可能になります。

なお、同じ地域を訪れる場合でも、日帰り旅行と滞在型の旅行では、地域経済効果は大きく異なります。観光庁の「旅行・観光消費動向調査」（2016年）によると、国内旅行者の日帰りの場合の1人1回の消費額は1万5602円であるのに対し、宿泊の場合は4万9625円と3倍以上になっています。

また、地域に滞在する時間が長くなればなるほど、地域との関係性が深まり、訪れた人々が地域活性化や課題の解決に協力してくれるケースも期待できるでしょう。このようにワーケーションを推進し、地域への中期滞在者を増やすことで、定住者・移住者以外の人の協力を得て、地域経済を回していく仕組みを作り出すことが可能となるのです。

ただ指摘しておきたいことは、現時点においては、地方自治体がワーケーションに対して肯定的な感情を必ずしも持っているわけではないということです。2020年8月に株式会社あしたのチーム、株式会社We'll-Being JAPAN、株式会社日本旅行の3社が共同で、全国の自治体職員を対象に行ったアンケートでは、「地元の活性化のきっかけとして、ワーケーション制度の民間企業の導入は、効果が期待できると思うか」という質問に対し、「非常に期待できる」は3・6%、「ある程度期待できる」は26・1%で、合わせて約3割にとどまりました。一方、「全く期待できない」は14・2%、「あまり期待できない」は24・5%と、期待できないと考えている人が4割弱となり、「わからない」と答えた人も全体の約3割を占めています。

また「所属する自治体では、ワーケーション制度の受け入れや呼び込みに不安や課題はあると感じるか」という質問では、「非常に感じる」が16・7%、「少し感じる」が23・9%で、約4割が不安や課題を感じていることがわかりました。不安の主な原因としては、「環境の整備が難しい」(69・3%)、「自治体内でどこまでワーケーション制度への対応が必要かわからない」(56・0%)などが挙げられました。

ワーケーションはいまだ新しい概念であるため、地方自治体が不安を覚えたり、どのように取り組んだらよいかわからないと考えるのも無理はありません。しかしワーケーションは、地方における人の集まり方を変えることで、従来の地方観光のあり方を大きく変える力を持っており、取り組みを始めるための投資も決して大きいものではありません。このことを認識し、いち早く取り組みを始められるかが、地方が生き残れるかの大きな分岐点となってきます。

イノベーションを生み出す地域の条件とは

Work from Anywhere at Anytime のワークスタイルを企業が採用するようになると、通信インフラなどさえ整っていれば、どこでも仕事をすることが可能になります。このことが地方でのワーケーション、さらには２拠点居住や移住のハードルを下げることになります。

こうした状況は地方にとってチャンスである一方、地方間の競争激化をもたらす可能性があります。ワーケーションが進展したとしても、日本中のすべての地域に人々が訪れ、地域が活性化することはありえません。実際には、一部の地域だけが勝ち組となり、関係人口や移住人口を引き寄せることで、ポスト・コロナ時代の新たなイノベーションを創発する拠点として発展していくことが予想されます。

社会構造の変革をもたらすような大きなイノベーションは、都市の中心部よりも、少し離れた特定の地域で集中して生まれることが多いと言われます。イノベーションが特定の地域に偏在して発生するこの状況を、英語ではGeographic Concentration of Innovation（イノベーションの地理的集積）という言葉で呼んでいます。例えばアメリカのシリコンバレーや中国の深圳（しんせん）市はもともと大都市の辺境にあたるエリアでしたが、優秀な人材が集まり起業することで、現在は新産業の一大集積地となっています。

イノベーションはなぜ従来の都市の中心部から見て、辺境で生まれる例が多いのでしょうか。理由として挙げられるのは、イノベーションを生み出す中心となる若年層にとって、辺境エリアに住む方が生活コストが安いということです。また辺境エリアは都心部と違って人口密度の低さ、不便さなどがあり、人々のニーズや問題を浮かび上がらせ、新たなビジネスやソリューションが生まれる可能性が高くなることも挙げられます。

では日本の地域を見たとき、どういった特性を持つ場所が関係人口を誘引し、イノベーションの集積地となりうる可能性を秘めているのでしょうか。地域がワーケーションによって関係人口を増やせるかどうかの分水嶺となるのは、以下の2つの要因が重要になると考えます。

1つ目の要因は、リモートワークが一般的になったとしても重要である大都市圏からの距離です。大都市近郊ですでにブランド化されている湘南や房総の一部エリアは、新型コロナ禍を契機にさらに人が集まっています。また神奈川県北部・西部の厚木市や小田原市、埼玉県の東京都に隣接する自治体も先述したエリアよりも低コストで居住することができ、また箱根・伊豆・秩父などの観光地からも至近距離にあるため、人々が集まってくることが考えられます。

そして、この1つ目の要因よりも重要だと考えるのが、「そこに集い交わる人の質」です。あらゆることがオンラインで完結される社会になったとき、逆説的に重要になってくるのは、人と人がリアルに交流することの価値です。地域ブランドを有さず、都市圏から遠いエリアであったとしても、そこに行けば会いたい人に直接会って、話ができるのであれば、そのエリアの価値は向上していくでしょう。

企業の社長が軽井沢に別荘を持つ理由の1つに、ネットワーク効果への期待があると聞いたことがあります。ある場所に集まっている人材がよい人たちであれば、その人たちに会うためによい人材がさらに集まっていく正のネットワーク効果が生まれるのです。こうしたコミュニティを地域が作れるかが、非常に重要なポイントとなります。

ブランド力の弱い地域が、軽井沢のような超一流の人材を最初から集めるのは難しいでしょう。そこで大切になってくるのが、集まる人の多様性を確保して、様々な年代、バックグラウンドを持つ人材を集めるということです。

日本の場合、特に大企業にはバックグラウンドの似通った人材が集まる傾向があります。ほとんどの社員は日本のみで教育を受け、受験戦争システムの中で培養された人材であり、出身大学も大企業になればなるほど、似たり寄ったりになります。その一方で、イノベーションを生み出すためには、様々な視点を持つ多様な人材との交流が重要です。

多様性を有する組織が強いことを示した研究に「弱いつながりの強さ」というものがあります。これは米スタンフォード大学の社会学者マーク・グラノベッターが1973年に発表した理論で、「人と人とのつながりの強さと弱さ」という関係性をもとにしています。

「人と人とのつながりの強さと弱さ」について、早稲田大学大学院教授の入山章栄氏は以下のように述べています。

一般に「強いつながり」とは、接触回数が多い、一緒にいる時間が長い、情報交換の頻度が多い、心理的に近い、血縁関係にある、といったような関係を指し、その逆が「弱いつながり」にあたると記している。つながりの強いネットワークでは、いろんな人から同じ情報を得ることになり、情報流通の無駄が多い。逆につながりが弱ければ、多様な情報を効率良く入手できるという。

弱いつながりをたくさん持っている人は、普通は手に入らない情報をたくさん入手できます。イノベーションは既存の知と知の組み合わせで起こるため、弱いつながりを多く持っている人の方が基本的にイノベーティブなんです。これも、世界の経営学研究では多くの研究者が同意するところです。

ビジネスのオンライン化が進んでいくと、情報の検索がしやすくなる一方、自分の嗜好とは異なる情報へのアクセスが極端に難しくなるという危険性があります。その結果、自分の関心が強く、何度も検索する情報のレコメンドがさらに強化され、弱いつながりは検索結果の上位に現れてこないため、異質のものとの交流による新しい発見の可能性がどんどん排除されていきます。

例えば私がジャズピアノが好きで、音楽ストリーミングアプリで同ジャンルの楽曲を多く聞いているとします。このとき、アプリが私に新しい曲をレコメンドする場合、私の聴取履歴をベースとするため、必然的に似たジャンルの似た感じの楽曲が中心となります。その結果、アプリが私にいきなりインドの古典楽器であるヴィーナの演奏曲を薦めることはまずないでしょう。

しかしリアルの世界では、CDショップでなんとなしに違うジャンルの音楽が並んでいる棚に目を向け、傑作アルバムを偶然発見するという可能性もあります。リアルな場における弱いつながりからは、予測していなかった偶然の幸運がもたらされることが多くあります。このことは「セレンディピティ（偶察力）」という名前で呼ばれており、ワーケーションでのリアルな交流に、人々が無意識のうちに期待する1つの体験価値でもあります。

セレンディピティは、社会やビジネスのイノベーションに大きく貢献することが知られています。その例として有名なのが3Mのポスト・イットです。同社の科学者であるスペンサー・シルバーは、強度のある接着剤を開発しようとしている中で、偶然、軽くくっつくけれどしっかりとは接着しない接着剤を生み出しました。

求めていた接着剤とは真逆の性質を持つ発明だったわけですが、シルバーはその後、自分が意図せず作り出した接着剤の用途を見つけるため、何年も使い道を探し続けました。そして、たまたま歌集から落ちるしおりを見て、この接着剤の弱さを使って本のしおりが作れないかとひらめき、ポスト・イットの製品化に至ったと言います。

セレンディピティが偶然の出会いから生まれるものだと考えると、私たちがセレンディピティの発生をコントロールすることは難しいように思われるかもしれません。一方、セレンディピティが起きたとき、それが千載一遇のチャンスであると気づくためには、その人の中に何らかの目的や意味を探究する心がないと難しいのも事実です。3Mの事例のように、探究する姿勢があれば、普通の人は見逃してしまう現象にも特別な意味を持って見ることができ、新たな発見を得ることができるのではないでしょうか。

ワーケーションでは、普段仕事をしているオフィスや自宅から離れ、日常とは異なる新しい人やものとの接点が生まれます。この新しい接点がもたらす弱いつながりに対して意識的になることで、新しいアイデアや問題を解決するためのヒントを感じ取り、「偶然の発見」を呼び寄せることができるようになります。何か新しい視点を求めている人があえてワーケーションを行うことで、「意図した偶然」に出会える確率を高めることができるのです。

地域にとって重要なことは、コワーキングスペースや喫茶店などのサードプレイスを準備して、関係人口と定住人口が交流する場を街中に設計し、ワーケーションに訪れた人々のセレンディピティを促す仕掛けを作ることではないでしょうか。

ワーケーションが変える地方観光のあり方

地域が年に1~2回訪れる観光客をもてなす非日常の場から、多様な人材の交流を生み出すワーケーションの場へと変化していくとき、自治体や地方の観光産業にどのような影響があるかについて考えてみましょう。

平日のワーケーションが広がると、各観光地は土日にしか旅行客が来ない状況から脱却して、平日にも客を呼び込むことができます。そうすると、地元民が日常生活で訪れている場所や、普段利用しているサービスに触れる体験に価値を持たせるなど、長期滞在の訪問客を飽きさせないコンテンツを開発することが大事になります。

例えば1泊2日の旅行であれば、素敵なホテルや旅館に宿泊して、その土地の名物料理を有名なレストランや料亭で食べることに満足感を見出す人も多いでしょう。しかしその地域に住んでいる人々が日常的に高額なお金を支払って、一流レストランで食事をしたり、毎日のように郷土料理を食べているかと言うと、必ずしもそうではありません。ワーケーションが浸透して、1回の滞在が1週間に及んだり、同じ場所をリピートして訪れるようになったとき、旅行者が求めるのは豪華な非日常を毎日満喫することではなく、地域の人々が日常生活を過ごしている場所で、地域の人々と同じように「暮らす」という体験をすることではないでしょうか。

Airbnbを利用するユーザーには、「暮らすように旅をする」という同社のコンセプトに共感する旅行者が多くいます。Airbnbの場合、連泊されるゲストが多いのですが、滞在が長期間になると近所のスーパーで食料を購入して自分で食事を作ったり、観光客向けの名物料理ではなくて、地元の人が普段訪れている居酒屋などに行き、「現地の人と同じ生活をする」という体験がしたいと思うようになります。そこから旅人と地域との新しい交流が生じるケースも多くあります。ワーケーションに訪れる人が地域に求める価値もまた、Airbnbの旅行客が求めているような非日常の場所での日常体験なのです。

ワーケーションがスマートシティの可能性を引き出す

ワーケーションは、スマートシティやスーパーシティが目指す未来の都市像とも親和性が高く、両者の共鳴はスマートシティビジネスに新たな展開をもたらす可能性を秘めています。

スマートシティは、「都市の抱える諸課題に対して、ＩＣＴ（情報通信技術）等の新技術を活用しつつ、マネジメント（計画、整備、管理・運営等）が行われ、全体最適化が図られる持続可能な都市または地区」と定義されています。

最近では、スマートシティの一類型で、ＡＩやビッグデータなどの最新テクノロジーを活用することで、社会課題の解決を目指すスーパーシティ構想を日本政府が推進しています。

スーパーシティ構想では、「住民が参画し、住民目線で、2030年頃に実現される未来社会を先行実現することを目指す」と書かれており、次の3つの要素が記載されています。

①生活全般にまたがる複数分野の先端的サービスの提供：AIやビッグデータなど先端技術を活用し、行政手続、移動、医療、教育など幅広い分野で利便性を向上。
②複数分野間でのデータ連携：複数分野の先端的サービス実現のため、「データ連携基盤」を通じて、様々なデータを連携・共有。
③大胆な規制改革：先端的サービスを実現するための規制改革を同時・一体的・包括的に推進。

スーパーシティが関わる分野は、行政手続、移動、物流、観光、医療・介護、教育、防災、エネルギー・環境、支払いなど多分野にわたっています。

スマートシティやスーパーシティ構想は住民＝生活者の視点のみで考えられることが多いのですが、その方向性だとなかなかビジネスモデルを成立させることが難しいのが現実です。しかしサービスの享受者を関係人口にまで拡大すると、新しい展望を開くことができます。

なぜかと言うと、日本の都市や住居のインフラはすでに高い水準で構築されているため、機能のスマート化を行っても利便性の向上は限定的で、追加のコストを支払うだけの価値を居住者が見出すことができないからです。

例えば、2010年頃からエネルギー効率化の視点でスマートシティビジネスが日本で盛り上がったとき、様々な機器メーカーが家庭にHEMS（「Home Energy Management System〔ホーム・エネルギー・マネジメント・システム〕」の略で、家庭で使うエネルギーを節約する管理システム）を導入しようとしましたが、うまく浸透しませんでした。

HEMSの導入には、初期コストと毎月の利用コストがかかる一方、主な機能はエネルギー使用量の見える化にとどまります。家電自体の省エネ化が進み、非常時以外は電力供給も比較的安定している日本の都市インフラにおいては、スマート化の効用は極めて限定的なものとなってしまったのです。

一方、Work from Anywhere at Anytime によって実現される新しいライフスタイルやワークスタイルは、まだ都市のプロセスに組み込まれていないため、スマート化の恩恵を受けやすくなります。特にワーケーション人材をターゲットとしたスマートサービスには、大きな可能性があると考えます。

仮に公共交通機関が非常に入り組んだ街で、リアルタイムで対応できる乗り換え情報サービスを作ったとします。このサービスを住民が通勤や通学において、お金を払ってまで使うでしょうか。答えは、ノーだと思います。どれだけバスの路線がややこしかったとしても、普段住んでいる人にとっては、自分に必要な情報は自明のものとなっていますし、ある程度の普遍的な情報は、無料の交通情報サービスでまかなうことができます。

一方、ワーケーションで地域に一定期間、滞在する人にとっては、こうした乗り換え情報が役に立つ可能性が高くなります。これらの人々の場合、住民と比べて地域に関する知識が少ない一方、行動範囲は広がる傾向があります。その結果、特別な情報や価値を得られるのであれば、お金を払うことも厭わない傾向にあり、新しいサービスが成立する余地があると考えられます。

また住宅やオフィスをシェアする際も、スマートシティのサービスが役に立つでしょう。例えば別荘を保有している人が、自分が利用していないとき、宿泊施設として貸し出す例が増えています。しかし家を貸し出す際に、物理的な鍵をゲストに渡して利用してもらうのが一般的となっているため、ハードルを感じる人も多くいます。このときスマートロックなど、スマートハウスの技術を活用すれば、セキュリティに対する安心感を得ることができます。

またスマートロックのサービス利用費を支払ったとしても、民泊や貸しスペースで収益を挙げるために導入するのであれば、コストではなく利益を生み出すための投資と見なすことができます。

以上述べてきたように、ワーケーションを切り口としたスマートシティやスーパーシティのサービス開発は、これまでになかった新しいニーズを充足することができ、今後の都市計画や街作りにさえ大きな影響を与える可能性を秘めています。

ワーケーションに取り組む自治体の事例

自治体におけるワーケーションの取り組みは始まったばかりですが、いくつかの先進事例について、パターン別に紹介します。

A：休暇によるリフレッシュを大事にする自然型ワーケーション

まず挙げたいのが、ワーケーションのバケーションの部分にフォーカスして、自然や温泉などを満喫する過ごし方をPRするパターンです。

長野県

長野県では、信州ならではの解放感あふれるリゾート地に滞在し、休暇を楽しみながら働くスタイルとして「信州リゾートテレワーク」を推進しています。豊かな自然環境で過ごす休暇と、創造性が発揮できる仕事を両立させることで、社員の有給休暇取得などの働き方改革や、生産性の向上およびストレス軽減などが期待できるとPRしています。

例えば軽井沢町でのモデルプランでは、1泊2日のチームビルディングプランが設定され、コンドミニアム型のウェルネスヴィラに滞在しながらテレワークやオフサイトミーティングを行うとともに、信州そば打ち体験やマインドフルネス体験、農業体験などが組み込まれています。

さらに信州リゾートテレワークを実践する企業等に対しては、県内に3連泊以上滞在すること（複数の宿泊施設を組み合わせることも可）、宿泊旅行代金が1人につき1泊あたり1万円以上であることなどを条件に、宿泊費の一部を支援する「信州リゾートテレワーク実践支援金」の受け付けも行っています。

北海道

北海道は一般社団法人日本テレワーク協会と連携し、道と道内17市町の共同事業として「北海道型ワーケーション」の創出に取り組んでいます。北海道型ワーケーションは、「首都圏の企業の社員やその家族などを対象に、道内に点在する短期滞在型サテライトオフィスを活用し、点と点を線で結んだ北海道ならではの長期滞在・広域周遊型のワーケーションプラン」であると定義されています。

受け入れプログラムとしては「休暇・観光型」と「仕事・業務型」の2タイプが企画されていますが、特に「休暇・観光型」のプランでは、大自然の中でのホーストレッキングや冬季限定の流氷ウォークなどが用意されています。

また、参加者との継続的な関係を築くため、受け入れ自治体では「ふるさとサポーター倶楽部」を設置し、ワーケーションをした自治体への愛着を深めてもらえる活動を実施することで関係人口の創出につなげています。

長野県や北海道のような自然を満喫するワーケーションでは、レジャー地としての強みを活かし、従来の観光客や別荘族とは異なる新たな層の獲得を目指しています。つまり、都心部をメインの活動の場としながら、時々、1~2週間程度の休暇を取ってリフレッシュする人材の誘致をターゲットとしているのです。一方、次に挙げる嬉野温泉、十和田湖、ハワイの事例では、現地での仕事のウェイトも高くなっています。

嬉野温泉

佐賀県嬉野市の嬉野温泉にある和多屋別荘では、温泉旅館でワーケーションを行う新しい試みを始めています。余剰客室をオフィス化し、また館内全体でWi-Fiがつながることで様々な場所で仕事ができます。現在、施設内には東京に本社を有する株式会社イノベーションパートナーズがサテライトオフィスを構え、専用コンシェルジュサービスなどの特典がついた「温泉ワーケーション」月額会員プランの申し込みも開始しています。

またワーケーションに訪れた方に地域ならではの体験も提供しており、地域の名産品である嬉野茶でのおもてなしを行うハイグレードプランなどもあります。

十和田湖

青森県の十和田湖畔にあるコワーキングスペース兼ゲストハウスの「yamaju」の特徴は、「登録制コワーキングスペース＆中長期滞在者専用ゲストハウス」にあります。コワーキングスペースの利用はメンバー登録制となっており、また宿泊する場合には最低4泊以上とすることで、仕事だけでなく、地域を楽しんでもらうことを目的としていることが特徴的であると言えます。

ハワイ

ＪＴＢと株式会社スノーピークビジネスソリューションズは、ハワイでのワーケーションを支援する法人向けプログラムである「CAMPING OFFICE HAWAII」を２０１９年から展開しています。主にアウトドアで実施し、テント設営などを通したチームビルディングや、企業トップ、来賓を集めて行うミーティングなど、自然を活かした様々なプログラムを用意しているのが特徴的です。使用されるサテライトオフィスは、もともとＪＴＢハワイが所有していた施設をワーケーション用に改造したものとなっています。

同プログラムの担当者は、野外のグランピング施設を活用したこのワーケーションプログラムについて、「お互いがプライベートな部分まで腹を割って話し合える。普段の肩書を外し、役職や立場を超えて、社員同士がフラットな立場で会社の今後や、現状の課題解決などについて議論を深めることができる」と述べています。

B：街の文化に触れることでセレンディピティを生み出す都市型ワーケーション

ワーケーションのもう1つのパターンは、都心部に近い街エリアで行われるパターンです。

神奈川県東部エリア（鎌倉・逗子・横須賀）

鎌倉は海や山などの自然に恵まれた観光資源も多いエリアであり、これらの特色を活かしたワーケーションの推進を行っています。具体例として挙げたいのが、建長寺で行われている「寺ワーク in 鎌倉」です。建長寺では、2020年に期間限定でテレワーク等の仕事に活用できるスペースの提供を実施し、利用者がWi-Fi完備の境内で庭園を眺めながら仕事をしたり、坐禅の指導を受けられたりと、非日常を体験できるワーケーションプランがあります。

また、鎌倉市の隣にある逗子市では、逗子市が所有する逗子会館の2階、3階の会議室スペースを戸田建設株式会社が借用して改修、ワーケーションスペース「ON/

OFFice ZUSHI」として運営しています。実際にワーケーションを体験した戸田建設の社員は、「ワーケーションは宿泊するイメージでいたが、宿泊にこだわらず逗子のような自然の多い近郊で、こうして行うことも手軽でいい」と述べています。

そして横須賀市にある京急観音崎ホテルでは、株式会社スノーピークと提携して仕事も可能なグランピング施設を展開し、建築家の隈研吾氏がデザインを手がけたモバイルハウス「住箱（じゅうばこ）」などを活用したオフサイトミーティングができるようになっています。

千葉県南房総エリア

千葉県の南房総エリアも東京から近距離にあり、ワーケーションに適したエリアです。南房総市では、南房総国定公園や海山の自然環境を活かし、ワーケーションツアーの商品開発を行っています。また同市内には、もともと幼稚園・小学校だった建物を無印良品のデザイナーが改装したコワーキングオフィス「シラハマ校舎」があり、宿泊施設とレストランなども併設された利用勝手のよい施設となっています。

都心部に近いこれらの観光エリアでは、休日のワーケーションだけではなく、宿泊を伴わない平日のワーケーションも可能となります。このような手軽なワーケーションを通して地域に人の流れができれば、消費活動が生まれ、地域経済にもインパクトを与えることができます。

都市型ワーケーションの価値については、東京・品川区でITベンチャービジネスを支援する一般社団法人「五反田バレー」の代表理事を務める、中村ガクト氏が以下のように述べています。

コロナ禍によって、労働者側に働き方の裁量が自由に委ねられている状況もあり、経営者にとっては「こんな働き方をしてしまって大丈夫なのか」と不安になるケースも出てきています。「ワーケーション」と称して休日や有給取得中なのに仕事をしてしまうのは最たる例です。ところが職場からも遠くなく、平日にワーケーションをしてもらう「都市型ワーケーション」は、経営者目線にとっても安心につながるものだと考えます。

都市型ワーケーションは、よりワーク（仕事）の部分にフォーカスしながらも、非日常の場で仕事を行うことによって心身をリラックスさせることを可能にします。また普段とは異なる環境で、普段とは異なる人々と出会うことで、セレンディピティを誘発するという観点においても有効な働き方であると考えられます。

C：地方創生につながる社会貢献型ワーケーション

最後に挙げたいのは、働き手と地域が関わることで地域創生につながる社会貢献型のワーケーションです。

イタリアのワンダー・グロットレで行われたサバティカルプロジェクト

Airbnbは2019年、イタリアのNGO（非政府組織）であるワンダー・グロットレと協力したサバティカルキャンペーンを行いました。これは、イタリア南部マテーラ県にある小さな村「グロットレ」の廃屋を再生するNGOであるワンダー・グロットレ主催のプロジェクトを、Airbnbが後援するものです。グロットレ村は、風光明媚(ふうこうめいび)

な村ですが、過疎化が著しく、住民がわずか300人しかいないのに対して、空き家は600軒以上もあります。

村に滞在する有志5人の方を募集したところ、実に28万人を超える応募がありました。選ばれたボランティアは歴史的建造物のある村の中心部の復興に取り組みながら、地元の農産物の栽培方法や養蜂、パスタ作りなどを学び、田舎の生活を体験しました。

これはサバティカルの取り組み例となりますが、ワーケーションでも同様の地域活性化の取り組みができると考えます。例えば地方企業のビジネスに都市圏に住む人が副業として関わり、普段はリモートでサポートしながら、定期的に現地を訪問する形態が考えられます。このような副業形態は「ビヨンド副業」と呼ばれ、『日経トレンディ』と『日経クロストレンド』が発表した2021年ヒット予測の第3位にもランクインし、これから広がっていくと考えます。

和歌山ワーケーションプロジェクト「Open Innovation Platform」

ワーケーションに訪れる人材を活用して、地方創生を促進しようとしているのが、和歌山県です。和歌山県ではワーケーションを「価値創造ツール」と考え、訪問者とのコラボレーションにより、地域課題の解決や新たなビジネスの創出を目指しています。

和歌山県内自治体と企業の具体的な取り組み事例として挙げたいのが、ユニリーバ・ジャパン・ホールディングスと和歌山県白浜町の連携です。両者は2021年1月に「ワーケーション事業・地域 de WAAを通じた包括連携協定」を締結し、ワーケーションによる新たなイノベーション創出と地域課題の解決を目指していて、これからの活動が注目されます。

ワーケーションがキャズムを越えて地方のエンジンとなる

ワーケーションを一時的な流行で終わらせず、立ちはだかる深い溝（キャズム）を越えて、地方に関係人口を呼び込むエンジンとするためには、政府・自治体の連携による具体的かつ包括的な制度設計が必要になります。

政府・自治体が行うべきこととして挙げたいのが、法的な仕組みを整えることです。

欧米や諸外国が日本と比較して長期休暇の取得率が高い理由は、長期休暇を労働者に取得させる義務が法制化されていることが挙げられています。

例えばフランスでは、1936年にバカンス法が制定され、労働者に2週間の有給休暇を取得させる義務が企業に課され、1982年には5週間に伸びています。

また、フランスの有給制度のもう1つの特徴は、連続した期間で休暇を取らせる必要があることです。フランスでは5月1日から10月31日の間が有給休暇の法定取得期間と定められ、5週間のうちの4週間の有給休暇を消化しなければなりません。また、法定取得期間に取得する4週間の有給休暇のうち、2週間は連続した休暇でなくてはならないと定められています。このように連続した休暇取得の法律があるからこそ、バカンスの習慣が作られたと言えます。

一方、日本では働き方改革関連法施行に伴い、2019年4月1日以降、最低5日間の有給休暇の取得が義務づけられましたが、5日間の有給休暇を連続して取得することまでは義務化されていません。しかしここで有給休暇を5日間連続して取得することを国が法制化すれば、人の流れを大きく変えるだけでなく、ワーケーションの普及を阻害する一因にもなっている、長期間にわたって仕事場を離れることに対する心理的な抵抗を変えることができるのではないでしょうか。

もう1つ地方自治体の施策として考えられるのは、地方創生予算を活用することで、企業のワーケーションに関わるコストの一部を負担し、インセンティブを高めるということです。2020年度の地方創生関連の当初予算は、約2・5兆円となっています。この助成金の一部でも企業のワーケーション費用の補助に振り分けることができれば、地方創生につながる仕組みを構築できるのではないでしょうか。

例えばハワイでは、有能な技術を持つプロをハワイに誘致するため、本業はリモートワークをしてもらい、滞在先でNPOへの活動などを通して地域貢献をしてもらう「Movers and Shakas（ムーバーズ・アンド・シャカス：シャカスとは、手を握って親指と小指を立てるハワイ式の挨拶）」というプラグラムが存在しています。参加者にはオアフ島までの無料航空券の供与や、宿泊・コワーキングオフィスの割引を提供し、ワーケーションを通して地方創生を推進しています。

ワーケーションの大きなネックは、滞在が長期化することによる諸コストの増加です。ハワイの取り組みのように、コストが増加する分の一部でも自治体や企業が割引クーポン等で負担する仕組みが作れれば、よりワーケーションを活用しやすくなるでしょう。

割引クーポンを出していたら経済的なメリットがないと考える人もいるかもしれません。しかし公共交通や宿泊施設など稼働率がカギとなるビジネスでは、ディスカウントをしてでも集客した方が利益になるケースも多くあります。

例えば宿泊施設で考えると、新型コロナ禍の影響がなく、インバウンド旅行客数も3000万人を超えた2018年でさえ、旅館の平日稼働率平均は35％に過ぎませんでした。平日2連泊を条件に半額で客室を貸し出したとしても、その方が儲かる計算になります。さらに半額で部屋を貸し出す条件として、宿泊施設の感想や改善点に関する詳細なアンケートに答えてもらうようにすれば、今後の経営につながるマーケティング施策の一環として活用することもできます。

もう1つ大事なポイントが、地方の労働者不足を満たすためではなく、現在、仕事を持っている人が、専門知識や強みを活かして地域を支援できる仕組みを作ることです。

この観点と類似する仕組みとして挙げたいのが、アーティスト・イン・レジデンスから派生したデザイナーズ・イン・レジデンスという取り組みです。アーティスト・イン・レジデンスは芸術家が異なる文化環境に一定期間滞在し、創作活動を行うための支援活動で、日本でも1990年代から広がって現在、60以上の施設があります。アーティスト・イン・レジデンスにおいて、アーティストは滞在する地域の人々との交流を行うものの、地域の課題解決に直接携わることは少なく、基本的には自分の作品を制作する場として活用するのが一般的です。

一方、デザイナーズ・イン・レジデンスでは、デザイナーや建築家、クリエイターが地域産業と連携して、共同で商品開発や地域課題の解決を行うことを目指します。例えば独立行政法人国際交流基金では、2015〜2018年にアジアで活躍するデザイナーを日本の東北エリアに送り、地域資源を活用したデザインの制作を行うプログラムを展開しています。また株式会社「飛騨の森でクマは踊る」が2018年に行ったデザイナーズ・イン・レジデンスプログラムでは、地域の職人とコラボレーションを行い、家具や木製品を作るプログラムを展開しました。

こうした「〇〇・イン・レジデンス」の取り組みは、アーティストやデザイナーに限らず、幅広い分野に応用できるのではないかと思います。例えばマーケティング職に従事する人が交通費や宿泊費を負担してもらう代わりに、自治体の観光PRコンテンツの作成を手伝ったり、製造業の業務改善を行っているコンサルタントが、ある地域の工場の社宅に滞在させてもらう代わりに、工場の業務改善をサポートする形も考えられるでしょう。バケーション先で自分のスキルを活かして仕事を行うことを可能にする新しいワーケーションのあり方が、これからの地方には求められていると感じます。

最後に、社会的な機運を醸成することで、いかにしてワーケーションを「文化」として社会に根付かせるかについて考察します。日本で軽井沢や葉山などのエリアに別荘が集積しているのは、明治時代以降、外国人や皇室、政財界人、文化人がこぞって別荘を建てたことで、価値のある交流を生み出すコミュニティの構築に成功したからです。同様にワーケーションを一時的な流行ではなく、社会に根付く文化とするには、ワーケーションを活用する多様な人材から構成されるコミュニティが作られる必要があります。このコミュニティの中核を担う層として考えられるのが、1990年代後半から2000年代に生まれたZ世代です。

Z世代の特徴としては、①デジタルネイティブである、②社会問題への高い意識を持つ、③モバイルファーストで効率性を重んじる、④現実的で実利を追い求める、といった傾向があります。

多様な働き方に対する抵抗がなく、キャリアアップに対して強い意欲を持っていることからも、Work from Anywhere at Anytime が提示するライフスタイルは自分たちの世代に新しい可能性をもたらすものとして、自然に受け止めることができるでしょう。また、リモートワークにおけるデジタルを前提としたワークスタイルも、Z世代にとっては馴染みの深いものです。ワーケーションを使いこなし、新しい働き方のロールモデルをこの世代で生み出すことができれば、それが今後の世代にとっての標準となっていくのではないでしょうか。

第5章

ワーケーションを効果的に実施するためのヒント

ワーケーション実施のヒント：①目的の設定

本書の最終章では、働き手である個人がワーケーションを始めようと思ったとき、どういう観点でワーケーションの場所を選べばよいか、そしてワーケーションの効果を最大化するために、どのようなことに気をつければよいかを考えていきます。

ここで紹介するワーケーション導入のヒントを実行するにあたっては、次の２つの前提が整っているものとします。

１つ目は制度面、すなわち会社の規則としてワーケーションが認められていることを前提とします。会社によっては、ワーケーションを認める場合でも、場所や期間など様々な条件や制限がかかるケースがありますが、ここではそのような制約はないものとします。

２つ目は技術面、すなわちオフィスに行かなくても、リモートワークで基本的な業務をこなせるシステム環境が整っていることを前提とします。

2つの前提が整っているとして、ワーケーションを始める際に考えるべきなのは、何を目的にワーケーションを行うかということです。

第4章で述べたように、ワーケーションは、休暇フォーカス、仕事フォーカス、地域貢献フォーカスの3つのタイプに分けることができます。何にフォーカスしたいかによって行き先や滞在期間、活動内容などが変わってくるため、目的をブラさないことが大切です。

まず休暇フォーカスでは、平日の週末に早めに休暇先に入って、そのまま休日を楽しむ場合と、1週間以上滞在してワーケーションを行う場合の2つのケースが考えられます。

初めてワーケーションに挑戦しようと考えたとき、手軽に取り組みやすいのは前者のパターンでしょう。木曜の夜にワーケーション先の地方に宿泊して、金曜はそこで仕事を行えば、金曜の夜から土日にかけ、移動にかかる時間や交通渋滞を避けて、旅先でゆっくり休暇を楽しむことができます。

一方、後者のパターンは、週末型のワーケーションである程度経験を積んでからチャレンジしてみるとよいでしょう。例えばサーフィンが趣味の場合、海の近くに宿をとって、毎日始業時間前にサーフィンを楽しむといったワークスタイルも可能です。
なお、休暇フォーカスでワーケーションをする場合、大切なのはリフレッシュすることであるため、仕事でパフォーマンスを上げることにこだわらず、日常のルーティン業務をこなすぐらいの感じがちょうどよいでしょう。

次に、仕事フォーカスのワーケーションについて考えてみましょう。仕事に重点を置いたワーケーションの場合、1人でワーケーションを行うこともあれば、チームメンバー等との合宿研修のような形で行うことも考えられます。ただし合宿研修の場合は会社命令の要素が強くなるので、休暇の部分に関して本人の自主性が担保されていることが大事であるのは先述したとおりです。

1人でのワーケーションの場合は、新しいビジネスプランを考えたり、自分のこれまでの仕事を振り返って改善点を見出すなど、ルーティンワークとは異なる、クリエイティビティを必要とする業務に携わってみましょう。日常の生活圏から離れることで、新しいアイデアや発想を刺激する機会を得ることができるのが、ワーケーションの大きな価値だからです。また、チームメンバーと非日常の場所に行く場合は、普段の仕事を行うだけではなく、ワークショップを行うなど、現状の課題や中長期の戦略について、話し合いを行うとよいのではないかと思います。

非日常の場でディスカッションを行うことの価値について、IBM在籍時に企業の研修施設を活用した私自身の体験を紹介したいと思います。

IBMは1968年より伊豆に天城(あまぎ)ホームステッドという施設を有しており、企業のエグゼクティブを招いたセミナーやディスカッションを行っています。IBMに在職中、顧客のアテンドで何度か天城に伺ったことがあるのですが、かなり不便なところにあるため、日常から隔離された気持ちになり、普段とは異なる視点でディスカッションに臨めたことを覚えています。

天城ホームステッドのような会社保有の施設がなかったとしても、地方の別荘一棟貸しなどを活用することで、クライアントとの集中ディスカッションを行うことが可能となります。

最後に、3つ目のタイプである地域貢献フォーカスについて考えてみましょう。このタイプでは自分がどのような地域で、どのような形で貢献したいかによって、ワーケーションの目的が定まってきます。

ビヨンド副業のようにビジネスとして収入を得ることを目的とする場合もあるでしょうし、仕事の有意味性（85頁参照）を大事にしてほぼボランティアのような形で参加するケースもあります。いずれのケースにおいても、自分の保有するスキルや能力を活かして、地域にどれだけ価値をもたらせるかがカギとなります。

ワーケーション実施のヒント：②場所・施設の選定

ワーケーションの目的が決まったら、次に、どのような場所のどのような施設に滞在するかについて検討します。

休暇フォーカスの場合、ワーケーションを行う地域や物件の選定は、休暇中にやりたいことに合わせるのがよいでしょう。例えばゴルフやサーフィン、釣りなど、アウトドアのアクティビティを楽しみたいのであれば、アクティビティを行いたい場所がどこかによって必然的にワーケーション先が絞られてきます。

休暇フォーカス型のワーケーションを行う際に注意するべきなのは、ワーケーション先で仕事の環境をきちんと確保できるかどうかということです。休暇の過ごし方として京都の寺社仏閣を回ることを考えているのであれば、都会に滞在するため、通信環境も含めた仕事環境を整えやすいでしょう。一方、自然に囲まれたエリアやキャンプ場などを選択する場合は、ワークプレイスやネットワーク環境を確保できるのか、あらかじめ調べておく必要があります。

また仕事フォーカスでワーケーションを考えている場合、1人でワーケーションを行うのか、それともチームメンバーやクライアントと訪れるのかで、求められる物件や必要な設備は異なります。

1人で行く場合は、最低限仕事ができる環境が整っていればよく、物件の広さはそこまで必要とされないでしょう。しかしグループでワーケーションを行う場合は、皆でディスカッションを行うことができる広いミーティングスペースがあり、またメンバーが1カ所に宿泊できる条件が満たされると便利です。この場合、広いリビングルームと複数のベッドルームがある別荘を貸し切り利用できると、充実した時間を過ごすことができるでしょう。

なおAirbnbでは、Airbnb for Workと呼ばれる、出張やワーケーションに適した物件が一目でわかる仕組みが整えられています。Airbnb for Workに認定されている物件には、仕事ができるワークスペースや、アイロン、ハンガー等のアメニティ、24時間チェックイン対応、Wi-Fi等の準備がされています。どのようなエリアに行くにしても、こうした設備の整っている場所に宿泊することで、近隣にコワーキングオフィスがない場合でも、仕事を行う環境を整えることができます。

最後に、地域貢献フォーカスの場合、どのような活動を行いたいかによって必然的にワーケーションを行う地域や宿泊する場所が決まってきます。特に宿泊場所で地域の方との交流を行いたい場合は、家主居住型の民泊（いわゆるホームステイ型）や、ゲストハウスのように複数の滞在者と交流できる場所を選ぶのがよいでしょう。

滞在場所や滞在期間を決める際の、もう1つ重要なポイントが滞在コストです。Airbnbの物件の中には、1週間単位で宿泊することで割引が利くものもありますし、ワーケーションのための特別料金プランを提供しているホテルもあるので確認してみるとよいと思います。

またシェアリングエコノミーが浸透すれば、自分が旅行している間に自宅を民泊として貸し出して収益を得ることで、ワーケーションにかかる経費の一部をまかなうという新しい考え方も市民権を得るようになってくるでしょう。

ワーケーションは目的や地域、かけられるコストによって様々な方法が考えられます。自分の仕事とプライベートの双方に最も効果のある方法は何かを整理した上で、最適な形でワーケーションプランを設計することが大切なのです。

ワーケーション実施のヒント：③
コミュニケーションインターフェースのデザイン

ワーケーションのパフォーマンスを上げる上で大事になってくるのが、リモートで仕事をしているときの顧客、上司、同僚とのコミュニケーションインターフェースをどのようにデザインするかということです。場所と時間にとらわれず仕事を最適化するためには、私たちが仕事の内容や求められている役割に応じて、都度、適切なインターフェースをとれるようにデザインすることが求められます。

一般的にインターフェースという言葉を使うとき、それは多くの場合、PCや携帯電話の画面などの、いわゆるユーザーインターフェース（UI）を指します。UIは私たち人間と、PCや携帯電話の中の計算回路を仲介し、スムーズなやりとりを可能にするための仕組みですが、ここで述べるインターフェースは働くことを通じた他者とのコミュニケーションのあり方を指す総称として考えたいと思います。

世の中には様々な仕事がありますが、いずれも上司や同僚、あるいは顧客といった誰かと「接する」ことを前提としています。営業職のように顧客とのコミュニケーションで仕事が成立するものは、わかりやすい例ですし、1人での作業がメインの仕事でも、進捗や成果を上司や顧客に定期的に報告することが求められるはずです。

一方、仕事において他者と接するとき、そのコミュニケーション手段については様々な選択肢があります。私たちが普段の仕事で利用しているコミュニケーションツールを思い浮かべてみても、電話やメール、Slack のようなSNSツールから、オンライン会議や対面でのミーティングまで、多種多様な手段を併用していることに気づかされます。

新型コロナ禍前のワークスタイルにおいては、対面でのミーティングというリアルで同期的なインターフェースがビジネスを遂行する際の主軸となり、メールなどのバーチャルで非同期的なコミュニケーションツールは、補助的な位置付けで活用されることが一般的でした。

しかし新型コロナ禍に伴うリモートワークの浸透を契機に、私たちのワークスタイルは非対面・非同期のインターフェースをビジネスオペレーションの主軸とする方向へと変化しつつあります。その結果、今までの対面ミーティング中心のコミュニケーション方法を見直し、様々なコミュニケーションツールが、他者との間にどのような接点を構築し、どのような意味を生み出すかについて、もっと意識的になる必要が生じているのです。

具体的に言えば、仕事で他者と接するとき、①物理的な環境（＝自宅か、オフィスか、休暇先か）、②手段（＝リアルか、バーチャルか）、③時間（＝同期的か、非同期的か）の

3つの要素をどう掛け合わせるのかをきちんとデザインすることが大事になってきます。つまり、なんとなくメールを送ったり、ミーティングを行ったりするのではなく、必要最小限かつ十分な情報を、最適なタイミングで、最適な形で提供するためには、どのようなコミュニケーションのインターフェースを選択すべきかが大事になってきているのです。

図表19はビジネスで活用されるコミュニケーションのインターフェースを、同期的か非同期的か、リアルかバーチャルかの、2つの軸で整理したものです。4つの象限にある各ツールの特徴について述べていきます。

①オンライン文書/メール

第2章でも述べたように、ワーケーションをはじめとするWork from Anywhere at Anytimeのワークスタイルで採用されるべきコミュニケーションツールは、バーチャルかつ非同期的なオンライン文書やメールとなります。

誰もが内容を誤解することなく理解するという観点からは、特に文書(=Word)・数式(=Excel)を中心に活用します。一方、パワーポイント形式の資料を活用する場

図表19：コミュニケーションのインターフェース

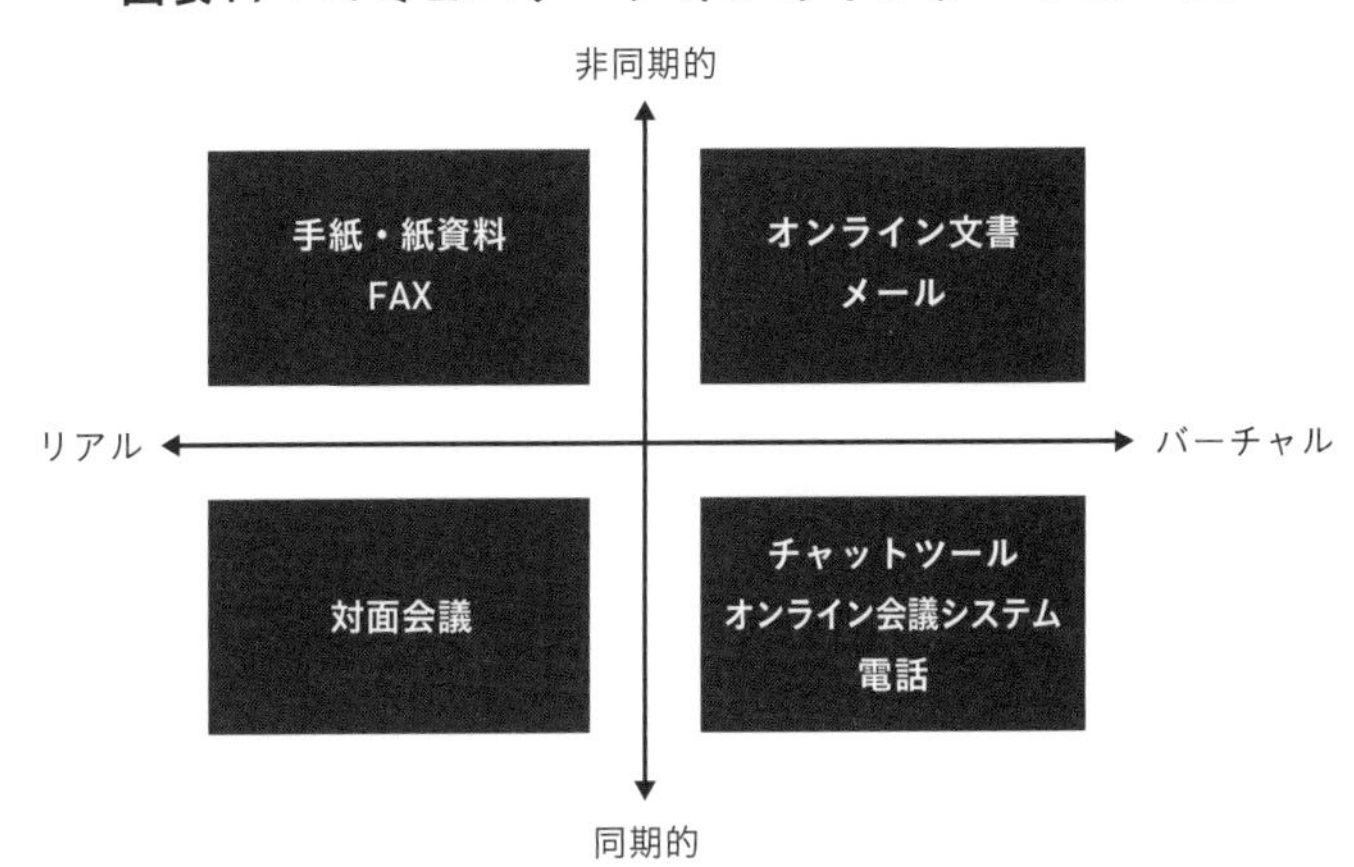

合は、読む人による解釈の違いが生まれないように、きちんとタイトルや説明文を書き込み、誤解を生まない工夫が必要になります。

また、他者との日常的なやりとりを行う際には、メールが果たす役割が引き続き大きいと考えます。コミュニケーションの履歴を確認したり、過去の経緯を追いやすいという点で、メールにはチャットツールにはない優位性があります。

②チャットツール／オンライン会議システム／電話

チャットツールやオンライン会議システムは近年、爆発的に利用が増加しているビジネスコミュニケーションのツールです。ここ数年でSlackを導入した企業は格段に増えましたし、新型コロナ禍を契機に、Zoomなどのオンライン会議システムを採用した企業も多いのではないでしょうか。

これらのバーチャルかつ同期的なインターフェースは確かに便利で、ワーケーションにおいて、利用はさらに増えると予測されます。一方、ツールの使い方に対する考え方は、今後少しずつ変わっていくのではないかと考えています。

現在、チャットツールやオンライン会議システムに人々が見出している価値は、会社のオフィスで行われてきた対面での会議や同僚とのちょっとした雑談を、バーチャルの場で擬似的に再現できる点にあるのではないかと思います。一部の日本企業が新型コロナ禍にあたってオンライン会議システムを導入する際、上司を画面上でより大きく、上座に設定できないかについて真剣に議論しているという旨のニュースを見たことがありますが、既存のビジネスオペレーションを再現しようという文脈からは、むしろ自然な発想なのかもしれません。

今後はデジタル化の強みを活かして、同期的なコミュニケーションを非同期的な手段に置き換えることを検討することが重要になります。例えば、Zoomで行われた社内の重要会議やオンラインセミナーをリアルタイムではなく、後日、録画で視聴した経験を持っている方も多いのではないでしょうか。またチャットツールも同期と非同期の中間に位置するような性格をもともと有しています。このように同期的なコミュニケーションを非同期化することで、Work from Anywhere at Anytimeをより行いやすくすることが可能になります。

なお電話は、最も簡便かつ有効な緊急時の連絡手段として今後も残っていくでしょう。緊急事態が生じたとき、状況の細かいニュアンスを理解して意思決定を行うことが必要となりますが、メールやチャットツールでこのやりとりを行うのにはストレスと時間がかかります。また、人の話すトーンから状況を推し量ることができるのが電話の長所です。電話の使用頻度は今後少なくなると思われますが、コミュニケーションの最後の砦（とりで）として残されていくでしょう。

③手紙／紙資料／FAX

Work form Anywhere at Anytimeのワークスタイルにおいて最も利用を避けるべき

インターフェースは、紙資料などの物理的な書類・資料です。Dropbox Japan株式会社が行ったアンケートによると、テレワーク期間中にやむをえず出勤した理由のトップは、「会社に置いてある紙の書類の確認」で34・6%、第3位が「郵便物や宅配便の受け取り」、第4位が「稟議(りんぎ)書等の確認・押印」、第5位が「プリンタやスキャナ利用」となり、紙資料に関わる様々な課題を感じていたことがわかります（図表20）。

紙資料をなくすためには、ビジネスオペレーションの変更が必要となるケースも多くあります。そこでワーケーションを実施する際には、会社のオペレーションがどこまでリモートに対応しているか、あらかじめ確認することが重要です。また、社内の紙資料だけでなく、顧客との紙資料のやりとりも、できる限り減らすことが大切になってきます。

④対面会議

従来のワークスタイルにおいて標準であった対面会議の頻度は、リモートワークが一般化されることで格段に減少するでしょう。しかし対面会議の重要性は、機会が限られているからこそ、かえって高まると考えられます。

図表20：テレワーク期間中にやむをえず出勤した理由

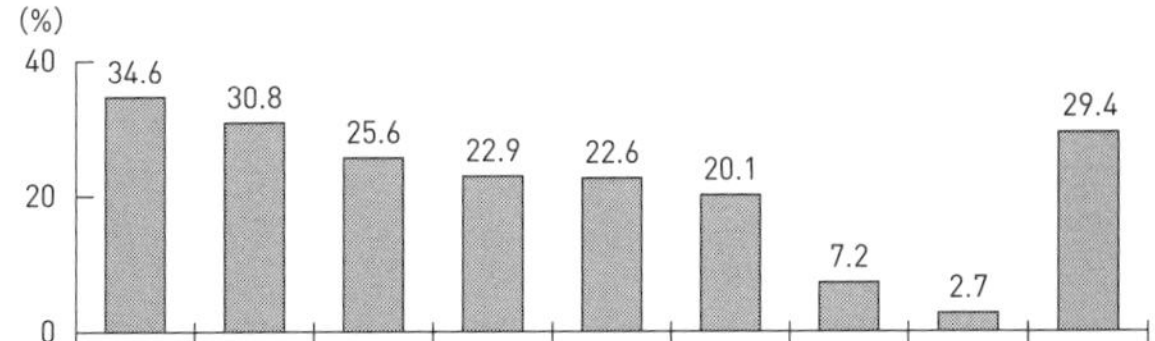

(%)

		n=	会社に置いてある紙の書類の確認	会社のネットワークに接続しないと確認できない資料・書類の確認	郵便物や宅配便の受け取り	稟議書等の確認・押印	プリンタやスキャナ利用	対面での会議	FAXによる文書の受け取り	その他	あてはまるものはない
全体		(402)	34.6	30.8	25.6	22.9	22.6	20.1	7.2	2.7	29.4
年代別	20代	(58)	29.3	44.8	29.3	24.1	19.0	24.1	12.1	5.2	24.1
	30代	(100)	40.0	31.0	26.0	25.0	34.0	16.0	8.0	1.0	32.0
	40代	(102)	31.4	28.4	19.6	20.6	18.6	17.0	4.9	2.0	29.4
	50代	(88)	31.8	30.7	27.3	21.6	20.5	23.9	6.8	2.3	34.1
	60代	(54)	40.7	20.4	29.6	24.1	16.7	22.2	5.6	5.6	22.2

出所：Dropbox Japan 株式会社のアンケート調査より

例えば新しいアイデアを生み出すためのブレインストーミングや、大きな意思決定を行う必要がある場合、また上司・部下と人事評価や今後のキャリア形成などについて会話をする場合は、対面会議を原則とするのが引き続き主流になると考えられます。

なお対面だから会社のオフィスに行かなくてはならないかと言うと、必ずしもそうとは限りません。チームや顧客とワーケーションの場で対面の会議を行うことが、効果的な場合もあります。場所を変えてディスカッションした方が本音で語り合うことができ、よい結果を生み出すこともあるでしょう。

このように仕事の内容や状況に応じて適切なインターフェースを選択できるようになると、私たちの仕事の場所と時間に対する自由度も飛躍的に上がります。メールなどの非同期的なツールが効果的な場面では、平日の9〜17時でオフィスに出社し、PC画面に張り付いている必要は必ずしもありません。こうしたインターフェースの見直しが進み、ビジネスオペレーションがリアル・バーチャルの面で最適化されたとき、仕事のマルチワークとマルチロケーションが初めて実現されます。一方、リモートが当たり前の社会になるからこそ、リアルの機会を慎重に設計することもまた大事であり、ビジネスを成功させるカギとなるのです。

ワーケーション実施のヒント：④導入プロセスの設計

ワーケーション実施の最後のポイントは、適切な導入プロセスを構築して、しっかりと成果が出せるワーケーションの運用を行うことです。

仮にあなたが勤めている会社でワーケーションが認められていたとしても、在宅ワークにも慣れていない状態でいきなりワーケーションを行った場合、思い描いた成果を出すのは難しいでしょう。まずは在宅ワークを一定期間、継続して行ったり、自宅の近隣にあるコワーキングオフィスを活用してみたりすることで、リモートで支障なく仕事を行うための土台作りをすることが大切になります。

実際に自宅や喫茶店などでリモートワークを行ってみると、オフィスで仕事をしているときにはなかった不便を感じることがあります。多くの業務がオンライン化されている中でも、紙資料の印刷が必要なケースや、オフィスでしか行うことができない社内プロセスもあるでしょう。また会社によっては、オフィスの外から特定の内部情報にアクセスできない場合もあります。こうした現状のビジネスプロセスでリモートワークに馴染まない部分をあらかじめ発見しておくことで、オフィス外で仕事を行う際の最適な方法を見出すことができます。

そして在宅ワークや自宅近辺でのリモートワークの経験を積んで、リモート下での仕事にも慣れてきたら、いよいよワーケーションに挑戦することになります。新型コロナ禍が終息して海外旅行も可能になれば、海外でのワーケーションもできないわけではありませんが、通信リスクや時差などを考えると、国内でのワーケーションから始めるのが現実的です。

そしてある程度慣れてきたら、お盆休みや年末年始休みと絡める形で、少し長い期間、例えば1カ月間ぐらいのワーケーションを数年に一度、行うことも可能になってくるでしょう。勤続〇〇周年など何らかの節目のときに、自分の頑張りに対するご褒美としてずっと訪れたかったリゾート地に長期滞在したり、あるいはリタイア後に移住を考えているエリアに下見として滞在することなどが考えられます。

最後に、ワーケーションを行ったら、よかったことやうまくいかなかったことを組織内でシェアして、知見として蓄積していくこと、特に何がうまくいかなかったかを明らかにすることが大切です。会社にとっても社員にとっても、ワーケーションは新しい経験であり、常に改善していくことでパフォーマンスを上げていく姿勢が重要なのです。

どこでも暮らすことができるライフスタイルへ

Work from Anywhere at Anytimeが当たり前のワークスタイルとなり、ワーケーションというスタイルが社会で一般的なものとなってくると、私たちの住まいに対する考え方も大きく変わり、より流動性を持つものとなってきます。そのとき、普段どこに住み、どのように働けば最もパフォーマンスを上げることができるかという視点を持つことが大切になります。

新型コロナ禍の前からフリーランスで働いている人の中には、ノマドワーカーと呼ばれる人々がいます。「Nomad（ノマド）」とは、英語で「遊牧民」を意味しますが、ノマドワーカーとは、特定の職場を持たず、移動しながら仕事をする人々を指します。ノマドワーカーの中には働く場所を移動するだけでなく、住む場所も転々とする人々がおり、「アドレスホッパー」という名前で呼ばれています。様々な場所に住むことができるADDress（アドレス）などの住み放題サービスの普及により、こうした新しい住まい方のハードルが下がってきています。

私たちが仕事の「場所と時間の自由」を得たということは、同時に、居住する場所の自由を得ることを意味します。このどこにでも住むことができる、Live Anywhereという自由をどのように行使するかは、人それぞれの価値観によって変わります。移動することを求めず、1カ所に住み続けるという選択も当然あるでしょうし、非常に逆説的ですが、その選択をLive Anywhereの世界ではよりやりやすくなっています。どこでも働けるということは裏を返せば、どこにも動かなくてよいことも意味するため、例えば地方支社での勤務を命じられたとしても、引っ越しをしないでリモートワークで働く形もこれからは可能になるでしょう。

その一方で、日本や世界を転々として、それぞれのロケーションで刺激を受けながら仕事をしたいと考える人もいるかもしれません。あるいは、ライフステージごとに、どこでどのように住まうかを選びたいと考える人も出てくるでしょう。例えば現役時代は利便性の高い都市部に住み、リタイアが近づいてきたら、余生を過ごしたいと考えている場所に移住して仕事をするという考え方も生まれてくると思います。

どこでも働けるようになれば、ライフステージの中で生じる育児や介護といった状況にも適応しやすくなります。若い夫婦に子供が生まれたら、田舎にある両親の実家の近くに引っ越して、子供の面倒を見てもらいながら仕事をすることも可能でしょう。あるいは両親の介護が必要となった場合も、同じように両親の家の近くに住み、在宅ワークを続けてキャリアを諦めることなく仕事を続けることができます。

隈研吾氏のインタビューでは、自身のオフィスのワークスタイルについて、以下のように述べています。

> 僕の建築設計事務所のヘッドオフィスは東京にありますが、担当しているプロジェクトは海外で20カ国ほど、国内でも山の中から離島までいろいろな場所に散らばりながら多数進行しています。(中略)
> これら各地にあるサテライトがネットワークでスムーズにつながるなら、必ずしも拠点が東京にある必要はなくなります。さらにいうと、石垣島のサテライトに滞在しながらアメリカで進行するプロジェクトの図面を引いても問題ないわけです。

こうしたワークスタイルを、隈氏は「狩猟採取型オフィスライフ」という名前で呼んでいます。

何万年という人類の歴史をひもとくと、季節の変化に合わせて各地を移動する狩猟採取型の生活をしていた期間が本来はずっと長いのです。(中略)そういう本質的な感覚に対し、うちの事務所でやろうとしているサテライト型のネットワークオフィスなら、全員が絶えず移動をしながらも、根底には1つの理念を共有する、という形を生みだすことができる。これは新しい「狩猟採取型オフィスライフ」といってもいいんじゃないかな。

Work from Anywhere at Anytimeにより、私たちのワークスタイルが場所と時間から解放されたとき、私たちのライフスタイルもまた仕事によらず、暮らす場所を選択できるものへと劇的に変化していくでしょう。そしてワーケーションは、この新しい社会システムを構築するための布石であるのと同時に、より自由に生きるための選択肢と新たな移動の価値を提供するものとなるのではないでしょうか。

おわりに

移動は太古の昔から新しいものを伝える役割を果たしてきました。シルクロードによる東西の交流は、世界の各地域で独自の文化を花開かせることに大きく寄与しました。また日本においても、江戸時代の参勤交代という、いわば強制された移動の結果、人や物資の流通が盛んになっただけでなく、地域の産業振興が促進された歴史があります。

第2章のローランド・ベルガーのレポートでも指摘があったように、人の移動総量と経済成長には一定の相関が見られ、経済成長とともに人の移動総量が増加し、移動総量の増加がさらなる経済成長を生み出してきました。しかし新型コロナ禍は、人の物理的な移動をオンライン上に移転させることで、物理的な交流の意義を相対的に低下させることになりました。

今後はもしかしたら非物理的な移動、すなわちバーチャルなやりとりが経済成長を生み出すという新たな法則が生まれるのかもしれません。実際、テクノロジーはそのようなやりとりを支えるに足る成熟度を持ち始めているようにも思います。そのとき、私たちが移動することの価値はなくなってしまうのでしょうか。

子供の頃の旅の印象として、目的地への移動の途中にあった水田になびく稲穂の黄金色の美しさに心を奪われた経験を以前語ってくれた人がいます。このように目的地よりも、途中で偶然に遭遇したものが心に残り、その後の人生にも影響を与えるということは決して稀なことではありません。むしろ偶然の経験こそが私たちの生活を豊かにし、仕事を行う上での活力となり、人生に気づきを与えるきっかけとなると信じています。

あらゆることがリモートで実行可能となり、世の中が最適化されるようになると、想定しないものに遭遇できる仕組みをいかに自分の人生に意図的に組み込んでいくかが大事になってきます。物理的な移動を通じて、私たちに新しい価値や視野のきっかけを与えてくれるワーケーションは、偶然の出会いをもたらす一種の装置として、これからのライフスタイル、ワークスタイルにおいて大切な役割を果たすものとなるでしょう。

本書ではワーケーションの価値と可能性について、幅広い角度から取り上げています。そのため、本書に書かれていることが実現されるのは、遠い未来のことだろうと思われる方もいるかもしれません。

しかし新型コロナ禍が広がる前の2019年、それから1年も経たないうちに多くの企業が在宅でのリモートワークを検討し、行政がハンコの廃止を決定する時代が来ることなど誰が予想しえたでしょうか。私たちが考えるよりも、社会を取り巻く変化のスピードは速まっています。だからこそ、この社会で生き延びていくために、多様なオプションをあらかじめ考えておくことがとても重要になってくるのです。

本書の執筆にあたっては株式会社KADOKAWAの村上智康さんに大変お世話になり、貴重なアドバイスを多くいただきました。ここに心から御礼申し上げます。本書が、皆さんの暮らし方や働き方を考える際の一助となるならば、それに勝る喜びはありません。

2021年6月

長田英知

参考サイト一覧

●第1章

・国土交通省 国土政策局 地方振興課（2018）「二地域居住 推進の取組事例集」
https://www.mlit.go.jp/common/001229920.pdf

・INTERNET Watch（2019）「全国65自治体で〝移住未満・観光以上〟の受け入れ推進へ、『ワーケーション自治体協議会』設立」
https://internet.watch.impress.co.jp/docs/news/1219264.html

・総務省令和元年版　情報通信白書（2019）「第1部　特集　進化するデジタル経済とその先にあるSociety 5.0」
https://www.soumu.go.jp/johotsusintokei/whitepaper/ja/r01/html/nd124210.html

・日経クロストレンド（2020）「『ワーケーション』が急浮上　明暗分かれた『インバウンド消費』」
https://xtrend.nikkei.com/atcl/contents/watch/00013/01108/

・NHKニュース（2020）「『出社3割以下』もテレワーク再強化の動き コロナ感染拡大で」
https://www3.nhk.or.jp/news/html/20200727/k10012535161000.html

・東洋経済 ONLINE（2020）「日立製作所、『週2～3日出社』を導入する理由」
https://toyokeizai.net/articles/-/359800

・HR総研（2020）「今後の働き方に関するアンケート」
https://www.hrpro.co.jp/research_detail.php?r_no=279

・ラーニングエージェンシー（2020）「新型コロナウイルス感染症の影響調査」
https://www.learningagency.co.jp/topics/20200527

・#Think Trunk（2020）「ワーケーション積極派vs消極派　企業担当者への緊急アンケート結果は?～『ワーケーション導入に関するアンケート』～」
https://www.jtbbwt.com/business/trend/detail/id=1478

・ＦＮＮプライムオンライン（２０２０）「コロナ禍でオフィスの空室率上昇…都心の『住まい』価格に影響はある？専門家に聞いた」
https://www.fnn.jp/articles/-/120504
・ビジネス＋ＩＴ（２０２０）「【ＩＴ投資動向調査２０２１速報】新規導入可能性1位は『５Ｇ』、2位〜5位は？」
https://www.sbbit.jp/article/cont1/45589#head2
・日本経済新聞（２０２０）「日立がペーパーレス大作戦　年5億枚削減、ハンコ全廃」
https://www.nikkei.com/article/DGXMZO66258000W0A111C2000000
・東京新聞 TOKYO Web（２０２０）「6月の東京で初の人口減　コロナ禍で転入低調、１４００万人割れ」
https://www.tokyo-np.co.jp/article/50509
・ＮＨＫニュース（２０２０）「東京都の人口 4か月連続減 コロナでリモートワーク定着 影響か」
https://www3.nhk.or.jp/news/html/20201203/k10012743451000.html
・Yahoo!ニュース（２０２０）「コロナ禍で『コロナ疎開』や『テレワーク移住』はトレンドになる？【#コロナとどう暮らす】」山本久美子
https://news.yahoo.co.jp/byline/yamamotokumiko/20200722-00189263/
・産経ニュース（２０２１）「【コロナに克つ】リモート普及、脱都会　アドレスホッパー」
https://www.sankei.com/west/news/210105/wst2101050006-n1.html
・Airbnb（２０２０）「『ワーケーション利用に関する意識調査』を実施。半数以上が1人でのワーケーションを希望」
https://news.airbnb.com/ja/workation/

●第2章

・AFPBB News（２０１７）「先史時代の女性の腕骨に秘められた『労働の歴史』研究」
https://www.afpbb.com/articles/-/3153585
・日本労働研究雑誌（２０１０）「人はなぜ働くのか――古今東西の思想から学ぶ」橘木俊詔
https://www.jil.go.jp/institute/zassi/backnumber/2010/06/pdf/004-009.pdf

・IslamReligion.com（２０１５）「労働と富」
　https://www.islamreligion.com/jp/articles/295/
・Fieldwork by Citrix（２０２０）「Work 2035 How people and technology will pioneer new ways of working」
　https://www.citrix.com/content/dam/citrix/en_us/documents/analyst-report/work-2035.pdf
・幻冬舎 GOLD ONLINE（２０１９）「人件費２・５億ドル以上削減!?…ＡＩに置き換わる『トレーダー』」
　https://gentosha-go.com/articles/-/19452
・UNSW SYDNEY Newsroom（２０２０）「How COVID-19 could accelerate the rise of smart cities」
　https://newsroom.unsw.edu.au/news/business-law/how-covid-19-could-accelerate-rise-smart-cities
・Housing Tribune Online（２０２１）「三井不動産、コワーキングスペースなどの共用部に従量課金制」
　https://htonline.sohjusha.co.jp/612-086/
・マイナビニュース（２０２０）「副業の最新事情―コロナ禍を境に活発化する副業の実態調査」
　https://news.mynavi.jp/article/20201221-1597493/
・PR TIMES（２０２１）『『コロナ禍が落ち着いても複業に挑戦し続けたい人』は約7割。新型コロナウイルス感染症拡大の影響及び企業の副業解禁に伴う『副業／複業に関する意識調査』～企業向けに市場レポートも公開～」
　https://prtimes.jp/main/html/rd/p/000000043.000047859.html
・The Nippon Foundation STARTLINE（２０２０）「隈研吾さんに聞く、アフターコロナ禍における『人』と『空間』の新しい可能性」
　https://nf-startline.jp/news/interview33
・HIKOMA「ものごとの本質をつかむ それが唯一かつ最短の道」
　https://hikoma.net/interview/in_kashiwasato/
・日経 doors（２０１８）「遊ぶように仕事をする人・割り切って働く人　違いは?」池田千恵
　https://doors.nikkei.com/atcl/wol/column/15/100300150/060100019/
・一日一生 仏陀のことば（２０２０）「仏教のことば：『遊行（ゆぎょう）』」

http://blog.buddha-osie.com/kotoba/1825/

●第3章

・Publickey（２０２０）「１２００人以上の全社員がリモートワーク。GitLabが公開する『リモートワークマニフェスト』は何を教えているか？」
https://www.publickey1.jp/blog/20/120066gitlab.html

・Gitlab「What not to do when implementing remote: don't replicate the in-office experience remotely」
https://about.gitlab.com/company/culture/all-remote/what-not-to-do/

・note（２０２０）「リモートワーク経営の20年選手Basecamp社に学ぶ『リモートワーク時代』の働き方」Hiroaki Ohmori
https://note.com/flickertone/n/na11263cbdbc2

・Basecamp「The Basecamp Guide to Internal Communication」
https://basecamp.com/guides/how-we-communicate

・BRIDGE（２０２１）「リモートワークの功罪：賃金格差の落とし穴、その場しのぎのZoom会議」
https://thebridge.jp/2021/01/after-embracing-remote-work-in-2020-companies-face-conflicts-making-it-permanent-the-second-part

・日立評論（２０２０）「在宅ワークとその先にある未来」
https://www.hitachihyoron.com/jp/archive/2020s/2020/05/05a03/index.html

・JAPAN AIRLINES「ワークスタイル変革」
https://www.jal.com/ja/sustainability/human/work_style/

・Aviation Wire（２０２０）「ＪＡＬ、地域と共創する働き方検証　ワーケーションで社会貢献」
https://www.aviationwire.jp/archives/208453

・トラベルボイス（２０２０）「ＪＡＬのワーケーション導入事例」
https://www.travelvoice.jp/workation/20201219-1163/

- MUFG Innovation Hub（２０１９）「ワーケーションが世界を相手にするスタートアップにとって意味するもの〜巨大なビジネスチャンスへの入り口となる可能性」
  https://innovation.mufg.jp/detail/id=356
- ユニリーバ・ジャパン（２０１６）「ユニリーバ・ジャパン、新人事制度『ＷＡＡ』を導入」
  https://www.unilever.co.jp/news/press-releases/2016/WAA.html
- ユニリーバ・ジャパン（２０１９）「ユニリーバ・ジャパン、『地域 de ＷＡＡ』を導入」
  https://www.unilever.co.jp/news/press-releases/2019/unilever-japan-introduces-regional-de-waa.html
- お金のカタチ（２０１８）「日本人の通勤時間や定期代・通勤距離は平均どのくらい？」
  https://venture-finance.jp/archives/4982
- 一般社団法人イマココラボ「SDGs（持続可能な開発目標）17の目標＆１６９ターゲット個別解説」
  https://imacocollabo.or.jp/about-sdgs/17goals/
- THE WALL STREET JOURNAL（２０２０）「コロナで大気汚染が急減、科学者も驚く効果」
  https://jp.wsj.com/articles/SB12496300001534684224104586370543133376626
- Hello, Coaching!（２０１８）「物理的な距離がもたらす コミュニケーションへの影響」
  https://coach.co.jp/view/20180808.html
- CNBC（２０２０）「The biggest work from home mistakes: Harvard Business School remote expert」
  https://www.cnbc.com/2020/11/17/worst-work-model-of-the-future-its-not-all-office-or-fully-remote.html
- ＮＴＴデータ経営研究所（２０２０）「ワーケーションは従業員の生産性と心身の健康の向上に寄与する ワーケーションの効果検証を目的とした実証実験を実施」
  https://www.nttdata-strategy.com/newsrelease/200727.html
- OWNDAYS の社長のブログ（２０１７）「アイデアの量は移動した距離に比例する。」
  https://ameblo.jp/shuji7777/entry-12320626285.html
- WIRED（２０１１）「休暇をとってデジタルから『非接続』になると、創造性を取り戻せる：研究結果」

https://wired.jp/2011/01/20/「距離」と創造性：休暇が大切な理由/
・オムロン（２０２０）「【テレワークとなった働き世代１，０００人へ緊急アンケート】新型コロナウイルスによる、働き方・暮らしの変化により『肩こり』『精神的ストレス』などの身体的不調を実感」
https://www.healthcare.omron.co.jp/corp/news/2020/0428.html
・PR TIMES（２０２０）「『テレワークの方が従業員のメンタルケアが難しい』が7割超。半数以上の総務がテレワークの推進でストレスが増えたと実感」
https://prtimes.jp/main/html/rd/p/000000004.000060066.html
・藤巻るり（２０１６）「『移行空間』としての『小空間』—移行対象との比較から—」
https://core.ac.uk/download/pdf/51248429.pdf
・#SHIFT（２０２０）「上司の4割『テレワーク中の部下が仕事サボっている』と不安に——調査で判明」
https://www.itmedia.co.jp/business/articles/2006/10/news099.html
・働き方の多様化に資するルール整備に関するタスクフォース（２０１９）「働き方の多様化に資するルール整備について」
https://www8.cao.go.jp/kisei-kaikaku/suishin/meeting/committee/20190510/190510honkaigi03.pdf
・LEGAL MALL（２０２１）「テレワークと労災～絶対に押さえておきたい５つの注意ポイント」
https://best-legal.jp/telework-industrial-accident-26701

●第4章

・まち・ひと・しごと創生本部（２０２０）「令和2年度 地方創生予算等の体系」
https://www.kantei.go.jp/jp/singi/sousei/about/pdf/r02-02-10-r02tousyo.pdf
・株式会社富士通総研（２０１９）「地域・地方の現状と課題」
https://www.soumu.go.jp/main_content/000629037.pdf
・内閣府「県民経済計算（平成18年度－平成29年度）」
https://www.esri.cao.go.jp/jp/sna/data/data_list/kenmin/files/contents/main_h28.html

・国土交通政策研究所「政策課題勉強会」（２０１４）「『地域消滅時代』を見据えた今後の国土交通戦略のあり方について」
https://www.mlit.go.jp/pri/kouenkai/syousai/pdf/b-141105_2.pdf

・nippon.com（２０１７）「過疎地の４割『持続可能』＝２０４５年の市町村人口－民間分析」
https://www.nippon.com/ja/behind/l10454/

・ビジネス＋ＩＴ（２０１７）「いよいよ過疎地『消滅』へ、平均70歳超の村議会は維持も困難に」
https://www.sbbit.jp/article/cont1/33794

・空き家活用Lab（２０２０）「全国空き家率ランキング 空き家ランキングからみる空き家の対策とは」
https://aki-katsu.co.jp/lab/ 全国空き家率ランキング－空き家ランキングからみ/

・日本政策投資銀行、株式会社日本経済研究所（２０１７）「出張マーケットに関する動向と今後 ～出張旅行のツーリズム業界におけるインパクト～」
https://www.dbj.jp/topics/region/industry/files/0000029022_file2.pdf

・PR TIMES（２０２０）「出張手配管理サービス『マイナビＢＴＭ』、『第２回 新型コロナウイルス感染拡大による影響調査』を発表」
https://prtimes.jp/main/html/rd/p/000001199.000002955.html

・ＨＩＳ（２０２０）「『新型コロナウィルスによる勤務状況への影響』アンケートの結果報告」
https://www.his-j.com/corp/contents/column/questionnaire-results/

・PR TIMES（２０２０）「【調査結果】イノーバ、新型コロナウイルスの感染拡大後のマーケティング活動への影響調査アンケートを実施。」
https://prtimes.jp/main/html/rd/p/000000002.000054994.html

・Livhubニュース（２０２０）「Airbnb、近距離旅行を喚起する夏旅キャンペーン『Go Near－身近にある、特別な旅』実施へ。」
https://livhub.jp/news/airbnb-go-near-campaign.html

- 観光庁（２０１８）「２０１７年国連開発のための持続可能な観光国際年における我が国の取り組み、そして未来へ」
  https://www.fttsus.jp/spring2018/wp-content/uploads/2018/03/【瓦林審議官講演資料】京都観光データウォーク2018（配布・WEB用）.pdf
- INTERNET Watch（２０２０）「ワーケーションによる地元の活性化、自治体職員の4割が『効果が期待できない』」
  https://internet.watch.impress.co.jp/docs/news/1275985.html
- 地方自治体通信 ONLINE（２０１９）「ワーケーション誘致における自治体の課題と取組【自治体事例の教科書】」
  https://www.jt-tsushin.jp/article/casestudy_workation/#04
- Business Network Lab（２０１７）「弱いつながりの強さ：早稲田大学ビジネススクール准教授・入山章栄が解説する、世界標準の人脈術」
  https://bnl.media/2017/05/iriyama.html
- ３M「ポスト・イット®ブランドについて」
  https://www.post-it.jp/3M/ja_JP/post-it-jp/contact-us/about-us/
- 国土交通省「都市交通調査・都市計画調査」
  https://www.mlit.go.jp/toshi/tosiko/toshi_tosiko_tk_000040.html
- 内閣府 国家戦略特区「スーパーシティ解説」
  https://www.kantei.go.jp/jp/singi/tiiki/kokusentoc/supercity/openlabo/supercitykaisetsu.html#anc13
- 長野県「〝信州リゾートテレワーク〟のご案内」
  https://www.pref.nagano.lg.jp/kankoshin/shinshu_resorttelework.html
- 信州リゾートテレワーク「モデルプラン」
  https://shinshu-resorttelework.com/modelplan/
- 北海道型ワーケーション
  https://hokkaido-work-vacation.com/

- 和多屋別荘（２０２１）「温泉旅館での新しい働き方を提案する『温泉ワーケーション』サービスを開始」
  https://wataya.co.jp/event/ 温泉旅館での新しい働き方を提案する「温泉ワーケーション」サービスを開始」
- yamaju
  https://yamaju-laketowada.jp/
- ＪＴＢ（２０２０）「自然と、仕事が、うまくいく。 CAMPING OFFICE HAWAIIプログラムを紹介」
  https://www.jtb-hawaii.com/ja/archives/3014
- #SHIFT（２０１９）「仕事と休暇を一緒にする『ワーケーション』 ＪＴＢとスノーピークがハワイで展開する事業の背景を直撃」
  https://www.itmedia.co.jp/business/articles/1909/25/news015.html
- 寺ワーク in 建長寺
  https://www.kenchoji.com/wp-content/uploads/2020/06/675c991386c40cb17fa2e16fe2bf46b3.pdf
- 戸田建設のワーケーションサイト
  https://www.todaonoffice.com/
- 逗子葉山経済新聞（２０２０）「逗子市と戸田建設でワーケーション実証実験 ８月までモニター利用期間」
  https://zushi-hayama.keizai.biz/headline/360/
- 京急観音崎
  https://www.kannon-kqh.co.jp/lp/glamping/
- ＨＩＳ「東京から2時間の南国で、効率的にはたらく・あそぶ・うみだす南房総『シラハマ校舎』でワーケーション」
  https://www.his-j.com/corp/engagement/workation/product/satelliteoffice04.html
- #SHIFT（２０２０）「リモートワークの次の働き方 『平日・都市型ワーケーション』のすすめ」
  https://www.itmedia.co.jp/business/articles/2012/07/news014_3.html
- WONDER GROTTOLE「The Italian Sabbatical」

https://italiansabbatical.com/

・内閣府 仕事と生活の調和推進室（２０１０）「カエル！ジャパン通信Vol.10」
http://wwwa.cao.go.jp/wlb/e-mailmagazine/backnumber/010/

・トラベルボイス（２０２１）「世界各国のワーケーション事情をまとめた　ートラベルボイス調査レポート『ワーケーションの海外動向調査２０２１』」
https://www.travelvoice.jp/20210118-147927

・国際交流基金「DOOR to ASIA 2016 ～アジアと東北をつなぐ『デザイナーズ・イン・レジデンス』第2弾～東京ミッドタウン・デザインハブで報告会も」
https://www.jpf.go.jp/j/project/culture/exhibit/exchange/2016/08-01.html

・ヒダクマ（２０１８）「デザイナーズ・イン・レジデンス プログラム」
https://hidakuma.com/blog/hidakuma-residency-program-for-international-designers/

・TNNAG（２０２０）「Z世代とは？特徴や価値観から考える、働き方や会社が準備すべきこと」
https://tunag.jp/ja/contents/hr-column/3502/

・ホワイト化のヒント「ミレニアル世代・Z世代とは？仕事における特徴と効果的な採用アプローチ」
https://mag.jws-japan.or.jp/employ/millennials_generationz/

●第5章

・Dropbox Business（２０２０）「Dropbox Japan、国内企業におけるテレワーク実態調査の結果を発表」
https://navi.dropbox.jp/dropbox-japan-announces-results-of-telework-surveys-at-domestic-companies

・Journey「ノマドワーカーとは？ーノマドの現実・メリット&デメリット」
https://yuuma7.com/ノマドワーカーとは？ーノマドの現実・メリット/

・Forbes JAPAN（２０１９）「#全国住み放題 で注目の ADDress 代表に聞く『拠点づくり』の極意」
https://forbesjapan.com/articles/detail/26279

ブックデザイン／菊池祐
カバーイラスト／竹田嘉文

長田英知（ながた　ひでとも）
Airbnb Japan株式会社 執行役員。
東京大学法学部卒業。国内最大手の生命保険会社を経て、埼玉県本庄市の市議会議員に全国最年少当選（当時）。その後、IBMビジネスコンサルティングサービス株式会社、PwCアドバイザリー合同会社等で戦略コンサルタントとしてスマートシティやIoT分野における政府・民間企業の戦略立案および新規事業構築支援に携わる。2016年、Airbnb Japan株式会社入社、2017年より現職。そのほかの外部役職として、2018年よりグッドデザイン賞審査委員、2019年より京都芸術大学客員教授を務める。
著書に『ポスト・コロナ時代 どこに住み、どう働くか』『いまこそ知りたいシェアリングエコノミー』『プロフェッショナル・ミーティング』（以上、ディスカヴァー・トゥエンティワン）、『「論理的思考だけでは出せない答え」を導く あたらしい問題解決』（日本実業出版社）、『たいていのことは100日あれば、うまくいく。』（PHP研究所）がある。

ワーケーションの教科書
創造性と生産性を最大化する「新しい働き方」

2021年7月2日　初版発行

著者／長田 英知

発行者／青柳 昌行

発行／株式会社KADOKAWA
〒102-8177　東京都千代田区富士見2-13-3
電話　0570-002-301（ナビダイヤル）

印刷所／大日本印刷株式会社

DTP／有限会社エヴリ・シンク

ISBN 978-4-04-605212-4　C0034